les recettes de maman

pour étudiants et autres célibataires

texte dominique ayral
illustrations jean-pierre cagnat

dans la même collection

pointures de sport, sandrine pereira

un rien m'habille, élodie piveteau – philippe vaurès santamaria

des montres et des hommes, hervé borne

Éditions originales en langues française, anglaise, espagnole, italienne.

Conception et réalisation : GRAPH'M/Nord Compo, France

ISBN : 2-7528-0196-3
Code éditeur : T00196

Dépôt légal : octobre 2005
Imprimé en Italie par Rolito Lombarda

www.fitwaypublishing.com

Fitway Publishing
12, avenue d'Italie – 75627 Paris cedex 13, France

Mon fils, je te dédie ce carnet de recettes.

Il ressemble à un carnet de voyages.

J'y ai raconté des histoires. Écris les tiennes.

Crée ton propre univers. Invente ta façon de cuisiner.

Cuisine tes classiques. Cuisine la modernité.

Mélange les deux. Fais comme il te plaît.

Je t'aime. *Maman*

WEEKEND

sommaire

pour toi, mon fils

Tu es descendu de ta chambre, ce matin, une valise à la main. J'étais assise dans la cuisine, près de la fenêtre. Tu m'as dit : « Ne t'en fais pas, maman, je reviendrai. » Ça m'a fait tout drôle. Ma gorge s'est serrée. J'ai murmuré dans ma bouche de mère que son enfant quitte : « Oui, mais en voyageur qui s'arrête pour une halte à l'hôtel d'une gare, les bagages si peu défaits que l'on ne sait plus s'il vient d'arriver ou s'il va repartir. »
Tu prends le train de nuit pour une école à cent lieues d'ici. Où te mènera ton premier job ? Où t'entraîneront tes amours ? La vie te réclame. Comme les lignes de la main, elle trace de multiples chemins inconnus et possibles. Il est temps de tenter l'aventure. Je ne te retiendrai pas. Je me mets en cuisine. C'est comme ça que l'on dit. On se met en cuisine comme on se met sur son trente et un, les grands jours. Va chercher ta grand-mère. Ton père nous rejoint, tout à l'heure. Je te prépare une fête, mon grand voyageur.

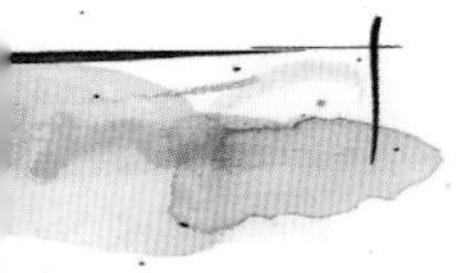

La maison sera dorénavant cette étape où le gîte et le couvert seront toujours mis pour toi et d'où tu t'en iras le panier plein de provisions.
Pour ton voyage et ton installation dans ton nouveau chez-toi, je te mets un assortiment d'entrées. *Hoummous, tzatziki, poivrons grillés, tchoutchouka, bruschetta, ricotta aux fines herbes, salade de haricots blancs à l'ail et au basilic, terrine de foies de volailles...*, ce sont des recettes du bassin méditerranéen, des spécialités d'Espagne, d'Italie, de Grèce, de Turquie, du Liban... Tapas, antipasti, mesèdes ou mezzes, régale-toi d'ailleurs, mon fils. Tes racines demeurent ici.
Quand je cuisine, je ne suis pas à la lettre les recettes des livres. Je les lis en gros. Je les parcours, en général. Je survole. J'invente. C'est comme cela que je conçois la cuisine. Librement. Si je manque d'inspiration, je prends une BD (oui, une BD), un journal sérieux (il y a forcément une page « Évasion »), une revue d'art pour les tableaux et les sculptures, un roman. Peu importe. Pourvu que je m'évade.

J'ai pris ma journée pour m'habituer à ton absence. Aujourd'hui, j'ai le trac. Depuis ce matin, je n'ai pas quitté le livre d'Édith Warton, *Voyage au Maroc*. Je me retrouve dans ce pays, un été 1917. Je suis une Occidentale qui explore une terre encore vierge. Je m'abrite quelques instants à l'ombre « d'un vieux figuier qui se cramponne aux tuiles cassées ». Je repars vers le « bassin secret dans lequel des femmes solitaires viennent se baigner ». Je traverse « le jardin d'orangers en terrasses ». Je vois le bric-à-brac du souk. Je m'enivre de leurs bruits, de l'odeur

des dattes, de leur alcool que boivent les hommes, « des chameaux, des épices, de corps noirs et de friture qui flotte comme un brouillard... ». J'ai envie de te faire de la graine de semoule aux dattes (ou du *couscous aux dattes*, c'est pareil). Je la saupoudrerai de cannelle. J'y mettrai des noix pour décorer. Ce n'est pas vraiment marocain, les noix. Mais ça me plaît. J'aime l'association dattes, noix et cannelle avec une semoule salée. C'est du sucré-salé et des fruits secs. Ça m'évoque l'immensité du désert, ses dunes de sable brûlant et ses amas de cailloux.

La cuisine est un rêve à l'état brut. Ce sont des images éparpillées à droite et à gauche, que l'on assemble pour faire plaisir à ceux que l'on aime.
Le vent jette un voile de poussière sur ma peau, sa couleur ocre me réchauffe. J'ai envie de nuances orange. Te souviens-tu de ma *salade d'oranges* ? Je coupe les oranges en tranches et je les parsème de pistils de safran. Vif orange et soleil couchant. Esthétisme des nuances et des parfums inattendus. Je verse des larmes vertes d'huile d'olive sur la salade. La douce acidité de l'orange et la douceur amère du jus des olives pressées m'enveloppent. Le safran a une saveur si particulière. Continuer le spectaculaire. Donner à voir dans la gourmandise. Combien de fois as-tu traîné ton regard sur mes *poires pochées au safran et aux graines de vanille* ? Noir des grains de vanille et le même vif orange du safran, des pointillés que l'on martèle en bicolore sur le jaune pâle des poires hautes de leurs rondeurs féminines, vais-je me faire à l'idée que tu pars ? Comme un ultime espoir, j'échafaude un dernier graphisme d'épices et de saveurs sucrées.

Je regarde mes *pommes bonne femme* creuses et pleines de raisins secs et d'amandes effilées, de miel, de cannelle et d'écorce de citron. Je ne peux plus te retenir.
Je me souviens de l'été 1999. Je te revois, toi notre fils, tu avais quinze ans. Nous t'avions emmené en vacances au Maroc. Nous savions, ton père et moi, que ce serait notre dernier voyage en famille avant longtemps. Tu passerais désormais les vacances avec tes copains. Nous avions négocié ce partage du temps pour te garder près de nous, les autres jours. Dans cette course contre la montre, nous nous sommes étourdis de visites et de parfums entêtants. Hors des rues sombres et étroites, la saturation des couleurs nous a éclaboussés, les mets chauds et généreux nous ont repus. Quel bonheur de te sentir vibrer. Pour la première fois, tu éprouvais l'émotion de la nourriture. Tu détestais les carottes. Là-bas, tu les as adorées. Tu hésitais entre les crues ou les cuites. Entre la *salade de carottes râpées aux amandes* et les rondelles de *carottes aux olives*, tu te débrouillais pour prendre les deux, « à cause de la saveur des épices », expliquais-tu. Ça nous faisait rire.

Nous mangions sur un coin de table. Debout, parfois. Par rapport aux habitudes de la maison, le service était bien plus décontracté. Tu en riais. Tu te moquais de nous. Tu réclamais des assiettes d'olives noires, vertes, piquantes, au citron confit... Tu voulais toucher à tout. Tu voulais tout goûter. Tu redevenais un petit enfant plein de malice devant de drôles de plats en terre cuite et leurs couvercles coniques. À l'intérieur, c'était comme dans le chapeau du magicien. Il y avait une surprise. Et puis « ça sentait bon », annonçais-tu en te pourléchant. Dans l'un, il y avait du poulet aux olives vertes, dans l'autre des boulettes de viande. Certains débordaient d'aubergines. D'autres d'agneau. Tous s'appelaient « tajine », le nom t'a plu. Tu l'as embarqué dans ton vocabulaire comme synonyme de ragoût : « C'était bien plus beau. »
Le charme de ce bout d'Afrique du Nord t'avait caressé de sa douce mélopée. Tu t'ouvrais au monde. Nous étions heureux. Pour que tu n'égares pas ce moment en chemin, je t'offre un plat à tajine. Emporte-le dans tes bagages de nouveau baroudeur. Il est pour six personnes.

Il en existe de plus petits. Il y en a de plus impressionnants. Celui-ci vient de Fès. Nous l'avons rapporté ensemble de notre séjour. Je le gardais précieusement, comme une coupe pleine que l'on offre à l'existence. Il te sera utile lors de tes longues escales à ta nouvelle adresse.
Avec le tajine, on cuit lentement, à l'étouffée. Il se pose directement sur la plaque électrique ou sur la flamme d'une gazinière, à feu doux. Il va aussi très bien au four. Mitonne des *tajines de poulet aux olives* et de *boulettes de viande*. Ne t'arrête pas là. Joue à l'alchimiste. Sois un inventeur. Tu verras, avec l'expérience, combien le plat à tajine se prête à tout, ou presque. Si tu venais à le casser, pas de panique. Il y a toujours moyen de se débrouiller autrement.
Dans ta valise, j'ai mis un faitout. Cette marmite sert à tout faire. Comme le tajine, le faitout est muni d'un couvercle. Il cuit et mijote les ragoûts de viande ou de légumes. Il permet, en plus, de bouillir. Tu as une poêle pour poêler, dorer et saisir. À feu doux, la poêle mijote, aussi. Avec le moule à cake, on fait des cakes salés et sucrés, des flans,

des entremets et des terrines. On utilise le plat de cuisson pour le four. Il gratine les légumes et rôtit les viandes. Avec un fond d'eau, il se transforme en bain-marie. Tu as trois casseroles de différentes tailles pour bouillir, cuire, réchauffer, et un plat à tarte. Au fur et à mesure, tu pourras augmenter ton équipement d'un robot mixeur. C'est pratique pour réduire les fruits et les légumes en coulis.

Si tu le souhaites, je t'offrirai un wok pour ton anniversaire. C'est ultra chic de cuire, frire, saisir et mijoter dans cette grosse poêle à fond bombé. Le saladier convient à la préparation des salades. Il permet de mélanger divers ingrédients. On peut battre les œufs dedans et y laisser mariner la viande crue. C'est dans un saladier que j'assemble tous les ingrédients du tartare de bœuf.

Ma façon de préparer le tartare de bœuf me vient du temps de la fac. Je la tiens de Monsieur Henri, serveur à la brasserie des Deux G. J'ai traîné dans ce lieu, avant et après les cours. Surtout pendant. C'est là que j'ai fait partie d'une solide bande de copains. Mutuellement triés sur le volet de notre imagination et de notre absence de conformisme, nous nous étions unis afin de dévorer l'existence. Quelle bête coriace, la vie. À force de nous épuiser à la traquer la nuit, elle nous assenait de terribles coups de pompe. Christian, ton parrain, avait décrété qu'une consommation hebdomadaire de tartare de bœuf nous requinquerait, renforcerait notre esprit guerrier. Elle stigmatiserait notre état carnassier, adéquation parfaite à la sauvagerie de l'existence.
Christian nous fascinait par ses paroles. Ses comportements nous subjuguaient. Il se débrouillait toujours pour récupérer le même bout de banquette. Il s'asseyait entre le dedans et le dehors séparés par l'implacable transparence de la verrière. Le nez faussement plongé dans le journal local, il observait tout.

Un vendredi, en fin d'après-midi, à l'heure où le thé fume dans les tasses, notre clan tenait salon. Christian s'est redressé. De sa tête à ses bras, il dessinait un accent circonflexe pareil à ses fines moustaches. Il nous a déclaré : « Monsieur Henri prépare le meilleur tartare de bœuf des Deux G. » Christian, que nous n'avions jamais connu aussi sérieux (il en avait perdu son accent chantant), nous a plongés dans un impensable silence. Un serveur, habitué à nos turbulences, nous a demandé si ça allait. L'instant était grave. Pourquoi n'avions-nous pas encore goûté au tartare de bœuf de Monsieur Henri ? Il fallait agir.

Le lendemain, à 13 heures, sur le pied de guerre, fourchette bien en main (le couteau n'a aucune utilité), nous attendions en juges incorruptibles. Des tartares, à la carte de la brasserie, nous en avions commandé plus d'un. Aucune sensation ne s'en dégageait. Il manquait ce je ne sais quoi qui fait la différence. Nous étions sur la corde raide du renoncement. En Monsieur Henri, nous misions notre dernier espoir. Il officiait le samedi, à l'heure du déjeuner. Monsieur Henri a installé un guéridon au bout de notre tablée. Il a disposé tous les ingrédients selon leur ordre de passage dans la construction de la recette. Dans un saladier, il a mêlé la moutarde forte, la Worcestershire sauce®, du Tabasco®, du sel et du jus de citron, puis les jaunes des œufs frais qu'il a cassés devant nous. Il a versé quelques gouttes d'huile d'olive. Son fouet a repris une rotation énergique et constante. Le fin filet d'huile d'olive, versé de son autre main, enflait l'onctueuse pommade. Elle brillait, autant que nos yeux de plus en plus exorbités. C'est là qu'il a mis le poivre. Puis le persil, les câpres et les cornichons. Il a remué en soulevant l'émulsion, une dernière fois.

Elle était prête. Sa force pouvait se mesurer au cru d'une viande bien rouge qui attendait dans un autre saladier, comme un enchevêtrement de gros spaghettis.
Monsieur Henri a dressé les tartares dans les assiettes en les dessinant en forme de steak haché. Il les a disposés devant chacun de nous, avec des frites chaudes et croustillantes, et nous a souhaité un bon appétit.
En bouche, c'était suave et enveloppant. Rien ne s'opposait. Au contraire. En montant la sauce comme une mayonnaise aux condiments, Monsieur Henri a capturé tous les parfums. Il les a emprisonnés dans l'huile émulsionnée. Au contact de la viande crue, ils n'avaient plus qu'à exploser et exécuter leurs volutes. Il n'y avait rien de plus sensuellement carnassier. C'était ça, le secret de Monsieur Henri. C'était cela, la différence avec tous les autres tartares.
Monsieur Henri nous a démontré que le sauvage et le civilisé pouvaient vivre ensemble. De ce jour, la force entrée en nous ne nous a plus quittés. Le tartare de bœuf de Monsieur Henri est devenu notre totem, et lui, notre maître du cru.

À nous tous. À nos vingt ans, nous avons amadoué Monsieur Henri. Il nous bichonnait tous les samedis avec son tartare. Il nous prodiguait mille et une astuces culinaires. Il disait que la cuisine permettait d'être en accord avec la vie. La nourriture était un don sacré de la Nature pour vivre en harmonie dans la civilisation. On devait en être respectueux. C'était une forme d'amour.
Christian, qui ne savait pas quoi faire de son avenir, saisissait, enfin, le sens de ses errances aux Deux G. Dans ce lieu classé Monument historique, dans cette galerie des glaces où le reflet des banquettes rouges soulignait la distinction des serveurs en frac et nœud papillon noirs, il a embrassé son destin comme les lèvres rouges des femmes.
De baisers volés en apprentissages chez des maîtres queux, Christian n'a plus quitté le piano des cuisines ni le cœur des belles demoiselles. Et, pour leur décrocher la lune, ce fou de Pierrot a accroché à la carte d'été de son restaurant un « Menu tomates ». Ça lui a pris tout d'un coup. « De retour d'un voyage à Paris », m'a-t-il dit sans aucune autre explication.

J'avais beau le tarauder, une fois par an, lorsqu'il nous présentait les nouveautés de ce menu, le colosse restait de marbre. Puis, un soir, il y a deux ans, tu étais avec nous, il nous a demandé notre opinion sur son *tartare de tomates*. Il tenait beaucoup à ce mets : « J'ai travaillé sur le goût du frais. Sur la fraîcheur sauvage, à laquelle fait penser l'expression "tartare". C'est aussi un hommage à Monsieur Henri », nous a-t-il expliqué. C'était frais et délicat. La ciboulette et l'ardeur de l'huile d'olive titillaient nos papilles. Le basilic les enjouait de sa saveur ensoleillée. Les gouttes de vinaigre balsamique, en baume miraculeux, dorlotaient la tomate bien mûre. Du pur bonheur ! L'appétit ouvert, un viognier à la bonne température dans nos verres, Christian a délié sa langue. Il avait construit le discours de sa passion pour la tomate. De fil en aiguille des instants qui passent comme les étoiles filantes dans le ciel du mois d'août, il nous a raconté cette fameuse journée de novembre, à Paris. « Il faisait gris et humide. Un temps à cueillir les escargots sur les branches des fenouils sauvages dans le Sud, plutôt que de se geler ici. »

« J'étais dépité. J'avais pris le train pour une jolie Mexicaine. Arrivé au rendez-vous, place Saint-Michel, personne. J'ai traîné dans les rues, balayant l'asphalte et les pavés de mon regard de chien battu. Je ne voyais plus rien que mon chagrin et le coup qu'avait pris mon amour-propre. Je m'étais fait poser un lapin. Monté pour rien, c'en était trop pour un seul homme. De colère, j'ai heurté un passant. Après de plates excuses, j'ai dévié mon chemin et ajusté ma vision sur la ligne d'horizon, nez à nez avec un mètre de lèvres rouges et pulpeuses qui crachaient dans l'eau d'un bassin. Derrière, dans la diagonale, un cœur, gros comme ça, rouge d'un côté et avec du vert et de l'orange de l'autre, tournait en rond. Les sculptures animées de Niki de Saint-Phalle m'ont guidé vers plus de réalisme. Il y avait, peut-être, une autre version des faits ? Les cloches de l'église voisine sonnaient les douze coups de midi. Machinalement, j'ai vérifié l'heure à ma montre. Elle indiquait toujours huit heures. Ma belle brune s'en était allée, certainement, d'avoir trop attendu. »

L'accent circonflexe de ses moustaches est retombé comme un soufflet. « Tu ne lui as pas téléphoné ? » avons-nous quasiment tous hurlé en chœur.
« Je n'ai pas osé. J'étais partagé entre la honte et la fierté : comment expliquer une histoire aussi stupide ? »
Christian a pris le premier train affiché sur le tableau des départs de la gare. De cette fin d'automne au premier jour de l'été, après la fermeture de son restaurant, il a travaillé comme un forcené jusqu'à ce qu'il épingle sur les murs le fruit de sa honte.

À la tête d'une armée de tomates de serre (ça l'a aidé à attendre la saison des tomates de plein champ), il a imaginé, en salé et en sucré, des pages et des pages de recettes tomatées. Il les a écrites avec les émotions d'un conquistador découvrant le Nouveau Monde et ce qu'il offrait d'inconnu. Chaque nuit, seul dans ses cuisines, Christian cueillait pour la première fois les boules rouges du pays des Aztèques, les ascendants de sa Mexicaine. Chaque nuit, il en a percé tous les mystères. Sa manière à lui de se faire pardonner.

Depuis l'époque de Monsieur Henri et forte de l'expérience de ton parrain Christian, je crois en l'idée que la cuisine abolit les frontières. Je me balade d'une civilisation à l'autre. Je saute d'un continent à l'autre. Je suis dans le passé, le présent et l'avenir. Je suis au centre des cuisines du monde. Je me trouve au pays de la « World Food ». Dans cet univers fabriqué par un anglicisme, le monde se traduit par *world* et la nourriture par *food*. C'est un langage universel. Il réunit les meilleures spécialités de la planète. *Coleslaw, salade César, rouleaux de printemps, salade niçoise, ratatouille, guacamole, curry de crevettes, poulet tandoori, fajitas de poulet, chili con carne, fish and chips, spaghettis à la bolognaise, penne rigate à la carbonara, cheesecake, tiramisu, brownie, cookies, riz au lait et pain perdu…*, ces divas nourricières me font tourner le tête. Avec elles, je voyage sans bouger de chez moi. Je surfe d'une recette à l'autre. Je me porte et me téléporte dans leur intemporalité.

Leurs noms et les grandes lignes de leur réalisation sont indémodables. J'interprète le reste. Car plus personne (ou presque) ne connaît leur recette originelle. Tant mieux. Comme la vie des stars de cinéma ou de la chanson, je veux que les recettes de la world food me transportent. Avec elles, je suis l'internaute qui tisse sa toile d'araignée dans le cyberespace de l'univers culinaire. Une maille à l'endroit, une maille à l'envers, la cuisine est un jeu. J'arrange, je revisite et je fusionne. La musique m'accompagne.

Je me surprends à jouer le DJ en touillant dans mes casseroles. Je mixe et je remixe. Je passe du classique au jazz en surveillant la pâte feuilletée de la *tarte au saumon au chèvre frais* qui dore au four. Je navigue de la voix haute-contre du *Stabat Mater* de Vivaldi aux notes jazzy du pianiste Brad Mehldau. Tranches de concombre, tranches de saumon fumé, crème au wasabi, j'atterris, en un millefeuille vert et orange, sur les modulations de fréquences, les battements et les basses qui ondulent de la musique électronique.

Avocats et poudre de chili, je transforme le *gaspacho espagnol* en un *gaspacho mexicain*. Cuisine en grande pompe, cuisine mondiale, cuisine régionale, cuisine ethnique, je retranscris ce que je sens. Je fais une cuisine urbaine.

Je troque le *cake aux olives et aux écorces de citron râpé* de ta grand-mère contre une version sucrée *aux cerises et aux zestes de citron confits*. Je compte sur l'effet de surprise de mon autre cake sucré *aux carottes râpées et amandes effilées*. J'ai transformé le flan de courgettes que tu trouvais si triste en un *pain de ricotta aux courgettes*. Est-ce que, comme tu le dis si bien, tu vas le « kiffer », maintenant ?

Il faut vivre avec son temps. Je cuisine l'air du temps. Rencontre d'ingrédients ou de manières de cuisiner inattendues. J'orchestre des mini-symphonies de saveurs. Poivre, piment, Tabasco®, tandoori, sauce de soja…, il s'agit de ne pas rater le plat. Je mets la bonne dose. Je laisse tomber la harissa et relève mes *sardines* à l'huile, posées sur des tranches de pain, d'une *vinaigrette à l'ananas, à la coriandre fraîche, aux pignons de pin et aux tomates séchées*.

Je redescends de mon trip culinaire avec le *Lover Man* de Sarah Vaughan. Remixé, *of course* ! *Jazz is so delicious, like that* ! La cuisine est un délice aussi. Il faut oser détourner. Au mélange de rap et de violons classiques, je marie le Mexique, la basse-cour et l'industrie. Le *poulet en brochettes* en croque pour les *graines de sésame*. Il en pince également pour la mollesse du *tofu* qui infuse dans du *lait de coco*. L'alternance avec des rythmes enveloppants a du bon. J'abandonne la *tortilla espagnole* pour le croustillant des *chips*, émiettées sur une *omelette baveuse*.
Je fais de la « fusion food ». Va pour l'anglicisme. J'écoute The Streets. Roulement de tambour dans *It's too late*. Non, il n'est jamais trop tard pour plonger dans la régression : *petits pots de crème au Nutella® et truffes de Spéculos®*.
La marmite garde d'autres mets au chaud. Je passe *Finding Beauty*, de Craig Armstrong, avant l'arrivée des invités. Zen. Je reste zen. Dans une heure à table. Un chouia de Lounge Music en fond musical. Ambiance d'Orient ou d'Inde ? Airs argentins, bossa-nova ou fado ? Rien n'est définitivement arrêté. Tout bouge.

J'aime l'idée que, comme la musique, la cuisine avance. Il y a forcément quelque chose de neuf à envisager. Un autre angle. Un autre point de vue. À ce rythme-là, je ne m'ennuie jamais quand je cuisine. Je souhaite qu'il en soit de même pour toi.
La cuisine, ce n'est rien du tout à faire, si on laisse parler son cœur. C'est ça une bonne cuisine.
C'est la cuisine du cœur. On laisse libre cours à ses sensations. On laisse s'éveiller ses sens. On touche. On palpe. On sent. On regarde. On écoute. On imagine. La cuisine est ce voyage au pays de l'amour.

Bon voyage, mon fils.

PS : la plupart des recettes que j'ai sélectionnées pour toi ne te reviendront pas à plus de 15 €. Quelques-unes se réchauffent au four à micro-ondes : la ratatouille, la poêlée de légumes, les coulis et sauces, éventuellement la tchoutchouka (si tu la préfères chaude)… à condition de recouvrir le plat d'un film étirable.

lance-toi, c'est fa

Les recettes de maman

sauce pour apéritifs improvisés

pour un bol
préparation : 5 mn
pas de cuisson

1 cuill. à soupe de moutarde forte ou aux condiments (ou 1 cuill. à café de raifort ou de wasabi)
2 pots de yaourt (ou de fromage blanc)
1 cuill. à soupe d'huile d'olive
3 gouttes de Tabasco®
sel, poivre

Mélanger tous les ingrédients dans un bol. Sur cette base, on peut composer différentes sauces aux fines herbes et aux condiments, au concentré de tomates ou au ketchup, au curcuma, au citron et à l'aneth...
À servir accompagnées de bâtonnets de carottes ou de céleri, de tacos, de chips, de cubes de gruyère ou d'emmental...

raïta

pour un bol
préparation : 5 mn
pas de cuisson

1 concombre
1 gousse d'ail
1 pot de yaourt
sel, poivre

Laver et râper le concombre. Peler et hacher l'ail. Mélanger tous les ingrédients.

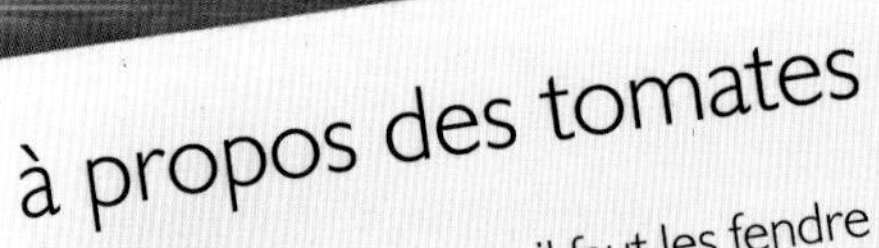

à propos des tomates

Pour peler les tomates, il faut les fendre au couteau d'une croix au niveau du pédoncule et les couvrir d'eau bouillante. Au contact de la chaleur, la peau incisée éclate. Il suffit de tirer. Pour gagner du temps, le geste précis d'une lame fine de couteau bien aiguisée produit le même résultat.

Avec ou sans peau, les tomates crues se parfument d'origan, de basilic ou d'estragon frais. Les tomates cuisent au four ou à la poêle. On peut les farcir de menthe fraîche, de riz ou de boulghour, de pignons de pin, de viande hachée et de nombreux fromages (crème de gruyère, chèvre, ricotta ou feta). Les tomates se confisent au four. Elles se concassent, se réduisent en purée et en coulis. Elles font d'excellents veloutés, des flans et des fondants.

Des tomates rouges, on fait des sorbets et des desserts aux fruits secs. Avec les tomates vertes, des tartes sucrées et des confitures.

tomates confites

pour 4 personnes
préparation : 10 mn
cuisson : 1h15

8 grosses tomates
5 cuill. à soupe d'huile d'olive
sel, poivre

Laver les tomates. Les couper en deux et les vider. Les mettre dans un plat à four et les arroser d'huile d'olive. Saler et poivrer.
Mettre au four (th. 9) pendant 45 mn. Poursuivre la cuisson (th. 6) pendant 30 mn. Laisser refroidir dans le four.
Servir les tomates confites telles quelles, parsemées de basilic frais ou accompagnées de jambon cru.

astuces

L'huile de tomate qui reste au fond du plat peut parfumer un autre plat.

Dans un pain pita, avec de la feta et des olives noires ou avec des œufs brouillés, elles agrémentent de délicieux sandwiches.

En cuisant, les tomates colorent et parfument l'huile d'olive. Quelques gouttes de cette huile de tomate suffisent à apporter un rayon de soleil à une simple salade verte, à des spaghettis au basilic ou à un morceau de fromage de chèvre sec.

tartare de tomates aux herbes

pour 6 personnes
préparation : 10 mn
pas de cuisson
10 belles tomates
1 échalote
1 bouquet de basilic
5 cuill. à soupe d'huile d'olive
1 cuill. à soupe de vinaigre balsamique
sel, poivre

Peler les tomates avec un couteau à fine lame. Les couper en deux pour enlever les graines et l'eau de végétation en les pressant dans la main. Peler l'échalote.
Laver le bouquet de basilic, équeuter les feuilles et les sécher sur du papier absorbant.
Hacher tous ces ingrédients séparément.
Réhydrater la chair des tomates avec l'huile d'olive. Saler et poivrer.
Ajouter l'échalote, le basilic et le vinaigre balsamique. Mélanger.
Dresser dans chaque assiette trois petits tartares de tomates en forme de mini-steaks hachés ou de petits cylindres.

variantes
Huiler légèrement de grosses tranches de pain. Couvrir de tartare de tomates. Voici comment revisiter le *pan y tomata* qui se prépare en Espagne (pain frotté d'ail et de tomate fraîche, arrosé d'huile d'olive).

Pour en finir avec la classique « tomate mozzarella », on remplace les rondelles de tomates par du tartare.

tomates farcies au chèvre et au thym frais

pour 4 personnes
préparation : 15 mn
cuisson : 1 h

8 belles tomates
250 g de fromage de chèvre frais
1 gousse d'ail
quelques brins de thym frais
(ou thym sec en poudre)
1 cuill. à café d'huile d'olive
sel, poivre

Préchauffer le four (th. 7). Peler et hacher finement l'ail. Réserver.
Laver les tomates. Découper leurs chapeaux et les réserver. Vider les tomates et les retourner pour les faire dégorger.
Couper le chèvre en dés, saler et poivrer. Répartir les dés de fromages dans les tomates en les intercalant avec du thym et l'ail haché.
Huiler un plat allant au four. Installer les tomates. Les arroser d'huile d'olive et les recouvrir de leur chapeau. Laisser cuire au four 1 h.

astuce

Ces tomates cuisent pareillement à la poêle en 1 h. Il suffit de les mettre à feu vif au départ, puis à feu moyen.

coulis de tomates et de poivrons rouges

pour 4 personnes
préparation : 10 mn
cuisson : 40 mn
réfrigération : 3 h
1 kg de tomates
3 poivrons rouges
2 gousses d'ail
1 cuill. à soupe d'huile d'olive
sel, poivre

Peler et écraser les gousses d'ail. Réserver. Laver les tomates et les poivrons. Peler les tomates. Couper en deux tomates et poivrons et retirer leurs graines. Dans une poêle, faire chauffer l'huile d'olive et saisir les tomates et les poivrons. Ajouter l'ail écrasé. Saler, poivrer. Baisser le feu et laisser mijoter 30 mn. Laisser refroidir à l'air.
Mixer la préparation ou la passer au moulin à légumes. Mettre le coulis 3 h au réfrigérateur.

fondant au coulis de tomates et de poivrons rouges

pour 4 personnes
préparation : 10 mn
pas de cuisson
réfrigération : 12 h
5 feuilles de gélatine
2 cuill. à soupe d'un mélange d'estragon et de basilic frais ciselés
15 cl de crème liquide
2 cuill. à soupe d'huile d'olive
3 gouttes de Tabasco®
sel, poivre

Pour le coulis de tomates et de poivrons rouges voir la recette ci-dessus.
Faire ramollir les feuilles de gélatine dans l'eau froide. Les essorer et les incorporer au coulis de tomates et de poivrons rouges. Bien battre au fouet pour dissoudre entièrement la gélatine. Ajouter le Tabasco®, la crème liquide et le mélange d'estragon et de basilic. Remuer énergiquement. Saler et poivrer si nécessaire. Enduire d'huile d'olive un moule à cake et verser la préparation. Laisser prendre 12 h au réfrigérateur. Servir très frais.

penne rigate au coulis de tomates et de poivrons rouges

pour 4 personnes
préparation : 5 mn
cuisson : 12 mn

500 g de penne rigate
1 cuill. à soupe d'huile d'olive
(ou des olives noires)
100 g de parmesan râpé
sel

Pour le coulis de tomates et de poivrons rouges voir la recette ci-contre.
Faire cuire les penne *al dente*. Les égoutter et verser dessus le coulis de tomates et de poivrons rouges bien chaud. Parfumer d'un peu d'huile d'olive (ou d'olives noires finement hachées) et saupoudrer de parmesan.

à propos des œufs

œufs coque, mollets ou durs

Sans préparation
cuisson : 3 mn, 5 mn ou 10 mn

Mettre à bouillir de l'eau salée dans une petite casserole. Plonger les œufs (l'eau doit les recouvrir entièrement et ils doivent bouger le moins possible lors de l'ébullition). Laisser cuire 3 mn pour un œuf à la coque, 5 mn pour un œuf mollet et 10 mn pour un œuf dur.

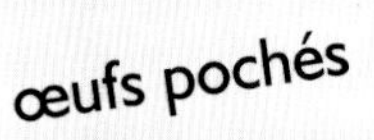

œufs pochés

préparation : 5 mn
cuisson : 4 mn

Dans une casserole, porter 1 l d'eau à ébullition avec un filet de vinaigre. Casser les œufs, un par un, dans un bol (sans crever le jaune) et les faire glisser dans l'eau bouillante. Porter à nouveau à ébullition. Éteindre le feu et couvrir la casserole. Au bout de 3 à 4 mn (un voile blanc doit recouvrir les jaunes), sortir les œufs délicatement à l'aide d'une écumoire, bien les égoutter (on peut les tamponner avec un papier absorbant) et servir immédiatement.

œufs brouillés aux tomates confites

pour 4 personnes
préparation : 3 mn
cuisson : 3 mn
4 œufs
8 tomates confites
(voir recette p. 51)
1 verre de lait
1 cuill. à café de beurre
1 cuill. à soupe de ciboulette hachée
sel, poivre

Dans un saladier, battre les œufs avec le lait, du sel et du poivre. Mettre le beurre à chauffer dans une poêle. Quand le beurre est fondu, verser les œufs dans la poêle et remuer en tournant à l'aide d'une spatule en bois. Quand les œufs sont fermes et « brouillés », arrêter la cuisson.
Les répartir dans des assiettes. Poser dessus des cubes de tomates confites. Saler et poivrer si nécessaire. Saupoudrer de ciboulette. Arroser de l'huile de tomate récupérée de la confection des tomates confites.

œufs mimosa

pour 6 personnes
préparation : 10 mn
cuisson : 10 mn
6 œufs durs
4 cuill. à soupe de mayonnaise
6 feuilles de laitue
(ou de salade iceberg)
2 citrons
sel, poivre

Laver et essorer les feuilles de laitue. Réserver.
Ôter la coquille des œufs. Les couper en deux dans le sens de la longueur. Retirer délicatement les jaunes et les écraser à la fourchette. Dans un bol, mélanger la moitié des jaunes d'œufs écrasés et la mayonnaise. Saler, poivrer. Farcir les blancs d'œufs de la préparation.
Dans une grande assiette ou un plat à service, disposer les feuilles de laitue, et sur chacune d'elles poser deux moitiés d'œuf farcies. Saupoudrer du reste des jaunes d'œufs écrasés. Servir ce plat accompagné de quartiers de citron pour parfumer.

tortilla espagnole

pour 6 personnes
préparation : 10 mn
cuisson : 40 mn

5 pommes de terre
1 oignon
8 œufs
6 cuill. à soupe d'huile d'olive
quelques brins de thym frais
sel, poivre

Éplucher et laver les pommes de terre. Les couper en dés. Peler et hacher finement l'oignon. Dans une poêle, faire chauffer l'huile d'olive et mettre les pommes de terre et l'oignon à cuire 30 mn environ, à feu moyen, en remuant souvent.

Dans un saladier, battre les œufs. Saler, poivrer. Verser sur les pommes de terre, baisser le feu et laisser cuire à feu doux jusqu'à ce que le fond soit ferme. Faire glisser l'omelette sur une assiette ou le couvercle de la poêle, la retourner dans la poêle (pour faire cuire l'autre face) et couvrir. Quand la seconde face est ferme, retirer la tortilla du feu. Servir la tortilla sans attendre, décorée de brins de thym frais, avec une salade verte ou de tomates.

omelette aux chips

pour 4 personnes
préparation : 10 mn
cuisson : 3 mn

6 œufs
3 poignées de chips nature
(ou parfumées, selon les goûts)
2 cuill. à soupe d'huile d'olive
sel, poivre

Battre les œufs dans un saladier. Saler, poivrer. Faire chauffer l'huile d'olive dans une poêle. Verser les œufs et les laisser cuire à feu moyen en inclinant la poêle de temps à autre.

Saupoudrer les œufs encore baveux avec les chips écrasées et émiettées entre les mains. À l'aide d'une spatule, rabattre une moitié d'omelette sur l'autre. Servir sans attendre ; les chips doivent garder leur croustillant.

Ne sale surtout pas, les anchois sont déjà très salés. Pour transformer ta Cæsar salad en plat unique, il te suffit d'ajouter du blanc de poulet.

cæsar salad (salade césar)

pour 4 personnes
préparation : 15 mn
cuisson : 2 mn

pour la salade
1 salade romaine
6 tranches épaisses de pain frais ou de pain de mie (ou l'équivalent en croûtons prêts à l'emploi)
100 g de parmesan
1 cuill. à soupe d'huile d'olive
4 œufs (durs ou pochés pour la décoration)

pour la sauce
1 cuill. à café de moutarde forte
1 gousse d'ail
5 filets d'anchois (ou 1 cuill. à soupe de crème d'anchois)
4 cuill. à soupe d'huile d'olive
le jus de 1/2 citron
poivre

Préparer la salade : éplucher, laver et essorer la salade. Découper des copeaux de parmesan avec un épluche-légumes ou un couteau à lame fine bien aiguisée. Enlever la croûte des tranches de pain (ou les bords du pain de mie). Dans une poêle légèrement huilée, mettre les tranches de pain à dorer puis les déposer sur un papier absorbant. Réserver le tout.
Préparer la sauce : éplucher et hacher l'ail. Écraser les filets d'anchois à la fourchette. Réserver le tout. Dans un bol, mélanger la moutarde, l'ail, les anchois, le jus de citron. Poivrer et mélanger. Incorporer peu à peu l'huile d'olive, sans cesser de remuer jusqu'à ce que la sauce épaississe.
Dans un saladier, mélanger la sauce, la salade, le parmesan et les croûtons. Rectifier l'assaisonnement en poivre, si nécessaire.
Dresser la salade dans les assiettes. Décorer d'un œuf dur ou poché.

salade niçoise

pour 4 personnes
préparation : 20 mn
cuisson : 10 mn

pour la salade
4 tomates olivettes (dites roma), ou rondes en grappes
200 g de haricots verts frais (ou surgelés)
3 branches de céleri
1 oignon (rouge de préférence)
3 œufs durs
1 boîte de 190 g de thon au naturel
8 filets d'anchois à l'huile d'olive
100 g d'olives noires (niçoises de préférence)
2 cuill. à soupe de basilic frais haché
2 cuill. à soupe de câpres

pour la sauce
1 gousse d'ail
4 cuill. à soupe d'huile d'olive
le jus de 1 citron
sel, poivre

Préparer la salade : égoutter les anchois et le thon. Écaler les œufs et les couper en quatre. Peler et découper l'oignon en rondelles. Laver les légumes. Couper les tomates en deux pour les épépiner et trancher chaque moitié en trois quartiers. Couper le céleri en fines lamelles. Équeuter les haricots verts. Les faire cuire 10 mn environ dans une casserole d'eau bouillante (on compte 2/3 d'eau pour 1/3 de légumes).
Préparer la sauce : éplucher et hacher la gousse d'ail. Mélanger tous les ingrédients dans un bol.
Répartir les légumes, les œufs, les anchois entiers et le thon émietté dans les assiettes. Décorer avec les câpres, les olives noires et le basilic. Assaisonner de la sauce.

coleslaw

pour 4 personnes
préparation : 15 mn
pas de cuisson

pour la salade
1/2 chou blanc
250 g de carottes râpées
1 pomme
1 cuill. à soupe de persil haché
2 cuill. à soupe de câpres
2 cuill. à soupe de cornichons hachés

pour la sauce
3 cuill. à soupe de mayonnaise
1 cuill. à café de moutarde aux condiments
1 cuill. à café de paprika
2 cuill. à soupe d'huile d'olive
le jus de 1 citron
sel, poivre

Préparer la salade : laver la pomme, l'épépiner et la couper en cubes. Laver le chou et l'émincer finement.
Dans un saladier, mélanger les carottes râpées, le persil haché, les câpres et les cornichons.
Préparer la sauce : dans un bol, mettre tous les ingrédients et fouetter vivement. Verser dans le saladier et mélanger à nouveau.
Servir le coleslaw seul ou accompagné de viande, de volaille, de poisson ou de pommes de terre en robe des champs.

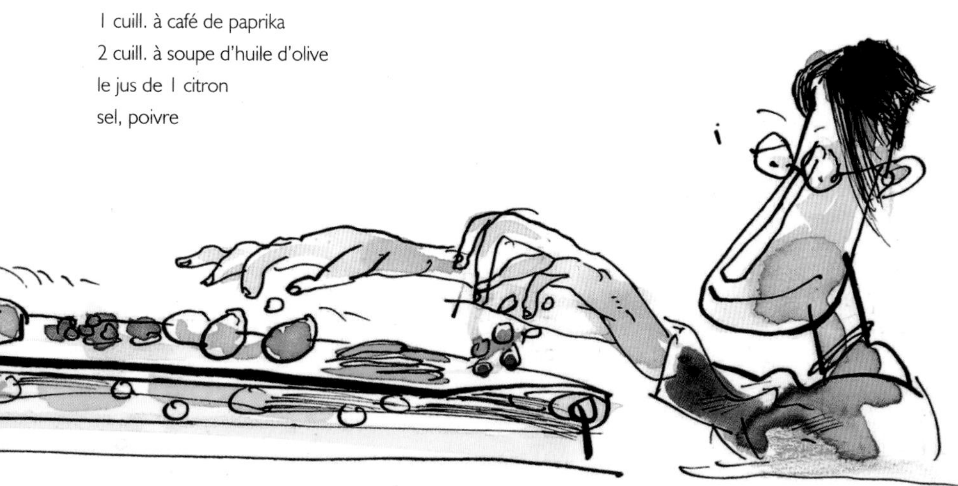

tartare de bœuf de Monsieur Henri

pour 4 personnes
préparation : 10 mn
pas de cuisson

600 g de viande de bœuf hachée
3 jaunes d'œufs
2 cuill. à soupe de moutarde forte
2 cuill. à soupe de Worcestershire sauce®
quelques gouttes de Tabasco®
2 cuill. à soupe de persil frais haché
2 cuill. à soupe de ciboulette hachée
2 cuill. à soupe de cornichons hachés
2 cuill. à soupe de câpres hachées
3 cuill. à soupe d'huile d'olive
le jus de 1/2 citron
sel, poivre

Dans un saladier, mélanger la moutarde, la Worcestershire sauce®, le jus de citron, le Tabasco®, les jaunes d'œufs et du sel. Monter la sauce comme une mayonnaise : en remuant énergiquement au fouet ou à la fourchette et en ajoutant l'huile peu à peu. Saler à nouveau si besoin. Poivrer. Incorporer délicatement les cornichons et les câpres, puis le persil et la ciboulette fraîche hachée.
Verser la préparation sur la viande et bien amalgamer le tout. Former 4 steacks à la main et dresser dans les assiettes.

astuces

Pour que la viande ne se transforme pas en pâtée une fois assaisonnée, il faut qu'elle soit hachée gros.

Pour ne pas tuer le goût de la viande, il ne faut pas trop forcer sur le Tabasco®.

Maman,
As-tu essayé le tartare de bœuf à l'italienne ? On le prépare avec 1 jaune d'œuf, de la ciboulette, du Tabasco®, 50 g de copeaux de parmesan, 50 g de basilic frais haché, 2 cuill. à soupe de câpres hachées, de la moutarde, 1 cuill. à soupe de vinaigre balsamique, 2 cuill. à soupe d'huile d'olive, du sel et du poivre. Pas mal du tout !

hamburger au bacon

pour 4 personnes
préparation : 15 mn
cuisson : 5 à 10 mn

4 steaks de viande de bœuf hachée
4 tranches de bacon
4 pains « spécial hamburger » aux graines de sésame
1 laitue
1 tomate
1 oignon
1 cuill. à soupe d'huile d'olive

pour la sauce hamburger
2 cuill. à café de moutarde aux condiments
1 cuill. à soupe de Worcestershire sauce®
1 cuill. à soupe de brins de ciboulette hachés
4 gouttes de Tabasco®
1 cuill. à soupe d'huile d'olive
sel, poivre

Préparer la sauce hamburger : mélanger tous les ingrédients.
Dans une poêle chaude huilée, dorer les tranches de bacon. Les retirer et mettre les steaks à la place. Bien les saisir sur chaque face et les laisser selon le degré de cuisson désiré.
Laver et essorer 4 feuilles de salade, laver la tomate et couper 4 rondelles. Éplucher l'oignon et couper 4 rondelles. Ouvrir les pains en deux. Sur 4 des 8 moitiés déposer une feuille de laitue, une tranche de bacon, puis 1 steak par dessus. Le badigeonner de sauce hamburger. Couvrir d'une rondelle de tomate et d'une rondelle d'oignon. Recouvrir des autres moitiés de pain.
Servir accompagné de sauce hamburger et de ketchup.

variantes
Avec le même assaisonnement et en gardant le bacon, remplacer le bœuf haché par des crevettes ou du blanc de poulet nature ou pané.

Pour un hamburger végétarien, mettre, à la place du bacon et de la viande, des tranches d'avocat, d'œufs durs et des grains de maïs.

bœuf mode

pour 4 personnes
préparation : 10 mn
cuisson : 4 h

1 kg de gîte ou de joue de bœuf
1 kg de carottes
200 g de lardons
2 oignons
1 gousse d'ail
2 branches de thym
1 feuille de laurier
1 clou de girofle (facultatif)
2 verres de vin blanc
2 verres d'eau
2 cuill. à soupe d'huile d'olive

Éplucher et couper en deux les oignons et la gousse d'ail. Dans une cocotte, faire chauffer l'huile et mettre l'oignon et l'ail. Remuer. Ajouter les lardons. Faire revenir le tout et réserver dans une assiette. Dans la cocotte, mettre à colorer la viande coupée en gros cubes. Arroser ensuite avec le vin et l'eau et laisser réduire à feu moyen. Incorporer l'oignon, l'ail et les lardons. Remuer.
Éplucher, laver et découper les carottes en rondelles. Les ajouter à la préparation avec le thym, le laurier et le clou de girofle (facultatif). Laisser mijoter 4 h en remuant de temps en temps.

astuce
Pour plus de saveur faire cuire le bœuf mode la veille. Réchauffé, c'est meilleur.

S'il te reste du bœuf mode, tu peux le servir froid le lendemain, en salade, avec des cornichons.

ratatouille

pour 4 personnes
préparation : 20 mn
cuisson : 35 mn

2 courgettes
1 grosse aubergine
2 poivrons rouges ou verts
400 g de tomates fraîches (ou en boîte)
2 gousses d'ail
1 oignon
une petite boîte de concentré de tomates
1 cuill. à soupe de paprika
1 cuill. à soupe d'herbes de Provence en poudre
4 cuill. à soupe d'huile d'olive
sel, poivre

Laver les légumes. Épépiner les poivrons et les émincer. Couper les tomates en quatre, les courgettes et l'aubergine en cubes.

Peler et émincer l'ail et l'oignon. Dans un faitout (ou une sauteuse ou un wok), les faire revenir avec 1 cuill. à soupe d'huile d'olive. Au bout de 3 mn, ajouter les tomates fraîches et laisser cuire 5 mn en remuant. Retirer du faitout et réserver dans une assiette. Dans le même faitout, faire revenir séparément tous les légumes dans 1 cuill. à soupe d'huile d'olive à chaque fois (pendant 2 à 3 mn).

Mélanger tous les légumes revenus dans le faitout, ajouter l'ail, l'oignon et les tomates revenus, 1 cuill. à soupe de concentré de tomates, les herbes de Provence, le paprika, du sel et du poivre. Laisser mijoter à feu doux et à couvert pendant 35 mn, en remuant de temps à autre.

spaghettis à la bolognaise

pour 4 personnes
préparation : 15 mn
cuisson : 40 mn
500 g de spaghettis
100 g de parmesan râpé
sel

pour la sauce bolognaise
500 g de viande hachée
1 oignon
1 gousse d'ail
1 boîte de 400 g de tomates pelées
1 boîte de concentré de tomates
2 cuill. à soupe d'huile d'olive
sel, poivre

Préparer la sauce bolognaise : éplucher et hacher finement l'oignon et l'ail. Dans un faitout ou une cocotte, faire chauffer l'huile et mettre l'oignon et l'ail. Au bout de 2 mn, ajouter la viande hachée. Saler, poivrer, mélanger et laisser dorer. Verser ensuite les tomates pelées et le concentré de tomates. Remuer, couvrir et laisser mijoter 40 mn.
Faire cuire les pâtes sans les couvrir, dans une grande casserole d'eau bouillante salée. Respecter le temps de cuisson indiqué sur le paquet pour qu'elles soient *al dente*. Les égoutter.
Servir les spaghettis nappés de sauce, accompagnés d'un bol de parmesan râpé.

penne à la carbonara

pour 4 personnes
préparation : 15 mn
cuisson : 15 mn
500 g de penne rigate
200 g de lardons
3 jaunes d'œufs
20 cl de crème fraîche
1 cuill. à soupe d'huile d'olive
100 g de parmesan râpé
sel

Faire cuire les penne *al dente* dans de l'eau bouillante salée. Pendant ce temps, dans une poêle, faire dorer les lardons avec de l'huile d'olive. Verser dessus 10 cl de crème fraîche, remuer et éteindre le feu. Incorporer à nouveau 10 cl de crème fraîche et les jaunes d'œufs en allongeant avec un peu d'eau de cuisson des pâtes.
Égoutter les penne. Verser la sauce et saupoudrer de parmesan.

Tu peux remplacer les champignons frais par des champignons surgelés. Et, pourquoi pas, par des asperges fraîches, en conserve ou surgelées.

risotto aux champignons

pour 4 personnes
préparation : 15 mn
cuisson : 40 mn

300 g de riz spécial risotto
350 g d'un mélange de champignons (ou de champignons de Paris)
3 courgettes
quelques feuilles de roquette
1 oignon
1 gousse d'ail
1,5 l de bouillon de volaille
2 cuill. à soupe de persil plat haché
80 g de beurre
70 g de parmesan râpé (+ quelques copeaux)
1 verre de vin blanc
1 cuill. à soupe d'huile d'olive
sel, poivre

Éplucher et hacher finement l'oignon et l'ail. Nettoyer les champignons (enlever la peau si besoin) et les tailler grossièrement. Éplucher et laver les courgettes. Les découper en dés.
Dans une grande casserole, faire fondre le beurre et y faire revenir l'ail et l'oignon 5 mn.
Incorporer les champignons, les dés de courgettes et le persil. Saler, poivrer et faire revenir 3 mn à feu moyen. Puis verser le vin et laisser cuire.
Lorsque le liquide est complètement évaporé, ajouter le riz, bien melanger et verser peu à peu le bouillon de volaille en remuant constamment. Rectifier l'assaisonnement.
Arroser de 1 cuill. à soupe d'huile d'olive, saupoudrer d'un peu de parmesan et tourner énergiquement pour bien mélanger la préparation.
Décorer de feuilles de roquette et de copeaux de parmesan, et servir sans attendre accompagné d'un bol de parmesan.

By Andrew
WEEKEND
THE HEATING CENTRE
Forfar DD8 2LX
01307 468037

Maman,
Au rayon Surgelés des magasins d'alimentation, il existe des frites toutes prêtes. Mais le chic du chic pour le fish and chips, ce sont les chips (natures, au fromage, saveur barbecue ou au vinaigre...).

fish and chips

pour 4 personnes
préparation : 10 mn
cuisson : 35 mn

8 gros (ou 12 petits) filets de poisson blanc (cabillaud, merlan...)
600 g de pommes de terre à frire
3 blancs d'œufs
250 g de chapelure
(ou de biscottes écrasées)
30 g de farine
2 cuill. à soupe de lait
huile de friture
sel

Peler les pommes de terre. Les couper en deux dans le sens de la longueur, puis former des bâtonnets. Dans une poêle, mettre 4 cuill. à soupe d'huile bien chaude. Y plonger les pommes de terre et les faire dorer à feu vif. Poursuivre la cuisson 30 mn environ à feu modéré. Ajouter de l'huile, si besoin.

Étaler séparément la farine et la chapelure dans deux assiettes. Dans un grand bol, mélanger les blancs d'œufs et le lait.

Envelopper les filets de poisson de farine, puis de blanc d'œuf, puis de chapelure. Faire cuire 20 mn, soit au four (th. 8) sur une plaque huilée, soit à la poêle dans 4 cuill. à soupe d'huile.

Saler les frites et le poisson, avant de les servir accompagnés d'une sauce au yaourt et aux herbes.

à propos de la pomme de terre

Les pommes de terre à *chair ferme* sont destinées à être bouillies (en robe des champs), sautées ou frites. Pour la purée et les gratins, mieux vaut prendre des pommes de terre à *chair farineuse.*

les différents modes de cuisson

En robe des champs : les mettre entières avec leur peau dans une grande casserole d'eau froide salée. Au bout de 30 mn de cuisson environ, elles se dégustent plus ou moins chaudes, accompagnées d'une sauce au fromage blanc et aux fines herbes, ou avec du sel et du beurre.

Froides, elles peuvent se transformer en canapés, une fois pelées et coupées en grosses tranches. En rondelles ou en cubes, elles s'accommoderont à d'excellentes salades avec du hareng, du thon, du poulet, des olives, du céleri…

À la poêle, sautées dans de l'huile ou du beurre : en tranches, en cubes, pelées ou non... crues elle cuisent 40 mn, environ. Bouillies et sautées à la poêle, compter 10 mn environ.

Dans du papier d'aluminium : crues entières avec la peau et piquées à la fourchette elles cuisent à four chaud (th. 8), 1 h environ, emballées séparément.

À la boulangère : pelées ou non, elles rôtissent dans le même plat qu'une pièce de viande rouge ou un poulet.

purée de pommes de terre

pour 4 personnes
préparation : 5 mn
cuisson : 30 mn

1 kg de pommes de terre
1 cuill. à café de noix muscade en poudre
1 feuille de laurier
1 gousse d'ail
50 g de beurre
20 cl de crème liquide
20 cl de lait
3 verres d'eau
sel, poivre

Peler et laver les pommes de terre. Les couper en quatre. Les mettre dans un faitout avec le lait, l'eau, la gousse d'ail pelée, la feuille de laurier lavée, la noix muscade, du sel et du poivre. Laisser cuire à feu moyen 30 mn (jusqu'à ce que la chair se défasse). Retirer la feuille de laurier. Écraser les pommes de terre à la fourchette en ajoutant le beurre et la crème liquide. La purée se maintient au chaud sur le feu, placée au-dessus d'un bain-marie.

gratin dauphinois

pour 4 personnes
préparation : 10 mn
cuisson : 50 mn

1 kg de pommes de terre
20 g de beurre
20 cl de crème liquide
20 cl de lait
sel, poivre

Préchauffer le four (th 7). Dans un bol, mélanger le lait, la crème liquide, du sel et du poivre. Réserver.
Peler les pommes de terre et les découper en fines rondelles. Disposer les rondelles dans un plat à gratin préalablement beurré. Les recouvrir du mélange lait-crème liquide. Mettre le plat au four et laisser cuire 50 mn.

riz au lait

pour 4 personnes
préparation : 5 mn
cuisson : 15 mn
1 l de lait
240 g de riz rond
150 g de sucre en poudre
1 gousse de vanille
sucre roux ou cannelle

Mettre le lait, le sucre et la gousse de vanille fendue en deux dans une casserole. Quand le lait frémit (il ne doit pas bouillir), mettre à feu doux. Retirer la gousse de vanille, gratter les grains et les remettre dans le lait. Ajouter le riz et remuer sans cesse jusqu'à ce que le riz ait absorbé tout le liquide.
Servir tiède ou froid, présenté dans un saladier ou dans des bols individuels, saupoudré de sucre roux ou de cannelle.

pain perdu

pour 4 personnes
préparation : 5 mn
cuisson : 5 mn
8 belles tranches de pain
(de préférence rassis)
2 œufs
1 verre de lait
50 g de beurre
3 cuill. à soupe de sucre en poudre

Casser les œufs dans un saladier et les battre vigoureusement en y incorporant le lait et le sucre. Faire fondre le beurre dans la poêle. Tremper les tranches de pain dans la préparation aux œufs. Les poêler d'un côté et de l'autre, jusqu'à ce qu'elles soient bien dorées.
Servir sans attendre.

petits pots de crème au nutella® et truffes de spéculos®

pour 4 personnes
préparation : 20 mn
pas de cuisson
réfrigération : 8 h

pour la crème
180 g de Nutella®
30 cl de crème liquide

pour les truffes
10 biscuits Spéculos®
200 g de Nutella®
20 cl de crème fraîche

Préparer la crème : battre au fouet le Nutella® et la crème liquide. Verser la préparation dans 4 tasses. Laisser 8 h au réfrigérateur.
Préparer les truffes : réduire les Spéculos® en poudre. Les mettre dans une assiette. Mélanger le Nutella® à la crème fraîche et à un tiers de la poudre de biscuits. Placer au frais. Au bout de 20 mn, sortir la préparation du réfrigérateur et former une vingtaine de petites boules en les roulant dans les mains. Rouler chaque boule dans le reste de poudre de Spéculos®.
Au moment de servir, dresser sur chaque assiette une truffe de Spéculos® posée dans une petite cuiller et une tasse de crème au Nutella® arrosée de quelques gouttes de crème liquide. Mettre les truffes restantes en accompagnement.

truffes au chocolat noir

pour une vingtaine de truffes
préparation : 15 mn
pas de cuisson
réfrigération : 4 h
250 g de chocolat noir
55 g de beurre
15 cl de crème fraîche
poudre de cacao

Faire fondre le chocolat, le beurre et la crème fraîche à feu doux, sans cesser de remuer. Placer au réfrigérateur 4 h. Former ensuite une vingtaine de petites boules en les roulant dans les mains et dans la poudre de cacao.

cheesecake

pour 8 à 10 personnes
préparation : 15 mn
cuisson : 1 h

600 g de fromage blanc en faisselle
100 g de biscuits sablés
125 g de poudre d'amande
45 g de beurre fondu
220 g de sucre en poudre
20 cl de crème fraîche épaisse
4 œufs
1 cuill. à soupe de zeste de citron râpé

Beurrer un plat à tarte ou un moule à gâteau. Tapisser le fond de sablés émiettés et mélangés à la poudre d'amande et au beurre fondu. Réserver au réfrigérateur. Préchauffer le four (th. 4-5). Égoutter le fromage blanc et le mettre dans un saladier avec le sucre et la crème fraîche. Incorporer les œufs et le zeste de citron. Battre la préparation au fouet jusqu'à ce qu'elle soit bien aérée. La verser sur la pâte sablée. Mettre au four 1 h environ.
Servir accompagné de fruits rouges entiers ou en coulis, ou de lemon curd.

pancakes

pour 12 pancakes
préparation : 10 mn
repos : 1 h
cuisson : 5 mn par pancake

250 g de farine
2 cuill. à café de levure chimique
30 g de beurre fondu
40 cl de lait
beurre
10 cl de crème liquide
1 œuf entier et 2 blancs
1 pincée de sel

Dans une terrine, fouetter la crème liquide, le lait, le beurre fondu, l'œuf entier et les 2 blancs. Réserver. Dans un saladier, mettre la farine, la levure et le sel. Y incorporer le mélange de la terrine peu à peu. Laisser reposer 1 h. Faire chauffer une petite poêle. La badigeonner à l'aide d'un morceau de papier absorbant imprégné de beurre. Verser une petite louche de pâte. Quand des bulles apparaissent à la surface, retourner le pancake. Laisser cuire jusqu'à ce qu'il soit bien doré. Procéder de même pour les autres pancakes.

redécouvre tes plats préférés

hoummous (purée de pois chiches)

pour 4 personnes
préparation : 10 mn
pas de cuisson

300 g de pois chiches en conserve
1 gousse d'ail
2 cuill. à soupe de coriandre fraîche hachée
1 cuill. à café de paprika en poudre
3 cuill. à soupe de crème de graines de sésame (tehina)
3 cuill. à soupe d'huile d'olive
le jus de 2 citrons
sel, poivre

Rincer et égoutter les pois chiches. Peler la gousse d'ail, la couper en deux. Dans le bol d'un robot, placer les pois chiches avec la crème de sésame, le jus des citrons, l'ail, 1 cuill. à soupe de coriandre, 2 cuill. à soupe d'huile d'olive, le sel et le poivre. Mixer jusqu'à obtenir une pâte homogène. Ajouter de l'eau ou du jus de citron si c'est trop compact.
Transvaser dans une assiette creuse et placer au réfrigérateur. Avant de servir, saupoudrer de paprika et de la coriandre fraîche restante. Arroser avec l'huile d'olive restante.

Tu peux aussi écraser les pois chiches à la fourchette.

poivrons grillés

pour 4 personnes
préparation : 15 mn
cuisson : 30 mn
4 gros poivrons verts ou rouges

Laver les poivrons et les mettre dans un plat allant au four. Les laisser cuire 30 mn (th. 8), jusqu'à ce que leur peau soit fripée. Laisser tiédir hors du four, puis peler et ôter les graines.

poivrons grillés marinés à l'ail

pour 4 personnes
préparation : 20 mn
cuisson : 30 mn
réfrigération : 20 mn
4 gros poivrons verts ou rouges
1/2 gousse d'ail
huile d'olive
sel, poivre

Préparer des poivrons grillés comme indiqué précédemment. Les tailler en lamelles et les disposer dans un plat avec l'ail haché. Saler et poivrer. Arroser d'huile d'olive. Placer au réfrigérateur 20 mn avant de servir.

astuce
On peut corser la marinade en ajoutant du laurier, du thym ou du romarin.

poivrons farcis

pour 4 personnes
préparation : 20 mn
cuisson : 30 mn

8 petits poivrons
380 g de ricotta (ou de brandade de morue)
2 cuill. à café de fines herbes, ou de thym, ou de menthe fraîche
huile d'olive

Tu trouveras de la brandade de morue en conserve dans le commerce. Pour atténuer sa saveur marquée, tu peux la délayer dans un peu de lait ou de crème liquide. Évite de la saler, elle l'est déjà. Contente-toi de la poivrer.

Faire griller au four les poivrons comme indiqué précédemment *(voir Poivrons grillés, p. 85)*. Les peler et les épépiner. Les remplir de ricotta (ou de brandade de morue mélangée à des fines herbes, ou du thym ou de la menthe fraîche). Servir arrosé d'un filet d'huile d'olive.

tchoutchouka (spécialité tunisienne)

pour 4 personnes
préparation : 15 mn
cuisson : 45 mn

4 poivrons verts ou rouges
6 tomates bien mûres
2 gousses d'ail
huile d'olive
sel, poivre

Tailler les poivrons en lamelles. Réserver. Peler et épépiner les tomates. Écraser les gousses d'ail. Dans une poêle ou une casserole huilée, faire cuire les tomates et l'ail à feu moyen. À mi-cuisson des tomates, ajouter les lamelles de poivrons. Saler et poivrer.

ricotta aux fines herbes

pour 1 grand bol
préparation : 5 mn
pas de cuisson
220 g de ricotta
4 cuill. à soupe de ciboulette haché
4 cuill. à soupe de persil haché
4 cuill. à soupe de basilic haché
huile d'olive
sel, poivre

Émietter la ricotta. La mélanger dans un grand bol avec la ciboulette, le persil et le basilic. Ajouter de l'huile d'olive, saler et poivrer.

variante
On peut remplacer la ricotta par de la brousse et troquer les fines herbes pour du thym, du romarin et de tout petits dés d'olives noires.

tzatziki (concombres à la grecque)

pour 4 personnes
préparation : 5 mn
pas de cuisson
réfrigération : 4 h
2 concombres
1 gousse d'ail
8 brins de ciboulette
10 feuilles de menthe fraîche
1 yaourt à la grecque
1 cuill. à soupe d'huile d'olive
le jus de 1/2 citron
sel, poivre

Laver et peler les concombres. Enlever leurs graines et couper leur chair en petits dés. Peler et hacher l'ail. Ciseler les brins de ciboulette très finement. Hacher les feuilles de menthe. Mélanger tous les ingrédients dans un saladier, saler et poivrer. Servir très frais.

tranches d'aubergines au coulis de tomates, parmesan et basilic

pour 4 personnes
préparation : 10 mn
cuisson : 4 mn
2 aubergines
1 petite boîte de concentré de tomates
1 bouquet de basilic frais haché
parmesan en poudre
huile d'olive

Préchauffer le four (th. 8). Laver les aubergines et les couper en fines tranches dans le sens de la longueur. Les badigeonner légèrement d'huile sur chaque face avant de les disposer sur la plaque du four recouverte de papier sulfurisé. Laisser cuire 3 mn environ, puis sortir du four.
Avant de servir, allumer le gril, badigeonner légèrement les tranches d'aubergines de concentré de tomates. Saupoudrer de basilic et de parmesan. Arroser d'huile d'olive et placer 1 mn sous le gril. Présenter les tranches d'aubergines roulées et maintenues par une pique en bois.

caviar d'aubergines

pour 1 grand bol
préparation : 5 mn
cuisson : 45 mn
réfrigération : 8 h
2 aubergines
2 cuill. à café de concentré de tomates
2 cuill. à café de poudre d'ail
2 cuill. à café de poudre d'oignon
3 cuill. à soupe d'huile d'olive
le jus de 1 citron
sel, poivre

Préchauffer le four (th. 7). Laver les aubergines, les mettre au four jusqu'à ce que leur peau noircisse et se craquèle. Les laisser refroidir avant de les peler.
Réduire leur pulpe en purée. La saupoudrer d'ail et d'oignon. Ajouter le concentré de tomates, l'huile d'olive et le jus de citron. Saler et poivrer. Bien mélanger. Mettre au réfrigérateur 8 h minimum avant de servir.

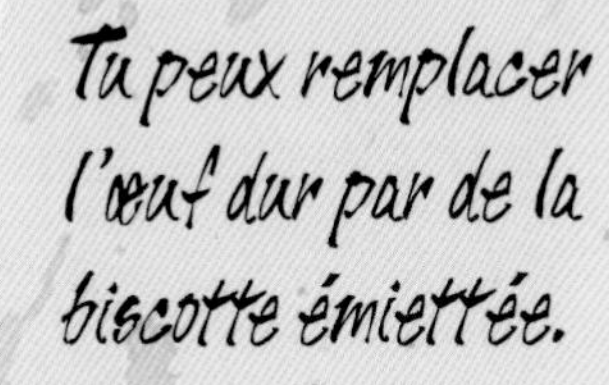

terrine de foies de volaille

pour 4 personnes
préparation : 5 mn
cuisson : 15 mn
réfrigération : 8 h

250 g de foies de volaille
1 œuf dur
2 échalotes
1 gousses d'ail
1 cuill. à soupe de persil frais haché
2 cuill. à café de graines de coriandre écrasées
1 cuill. à café de vinaigre
huile d'olive
sel, poivre

Laver les foies de volaille et les sécher sur du papier absorbant. Les faire cuire à la poêle avec de l'huile d'olive pendant 15 mn. Réserver.
Peler et hacher les échalotes et l'ail. Les faire revenir dans l'huile d'olive. Lorsqu'ils sont dorés, ajouter le persil et la coriandre. Ajouter l'œuf dur bien écrasé, le vinaigre, du sel, du poivre. Mélanger tous les ingrédients en les écrasant à la fourchette. Transvaser la préparation dans un grand bol ou dans un moule à cake en la tassant bien.
Mettre au réfrigérateur 8 h avant de servir.

variante

Pour une mousse de foie, passer les ingrédients au mixeur ou au moulin à légumes au lieu de les écraser à la fourchette.

bruschetta à la tomate et au jambon cru

pour 4 personnes
préparation : 5 mn
cuisson : 2 mn
4 tranches de pain
4 fines tranches de jambon cru (Parme, San Daniele...)
2 tomates
1 gousse d'ail
huile d'olive

Faire griller les tranches de pain. Laver les tomates. Éplucher la gousse d'ail. Frotter les tranches de pain grillées d'ail et de tomate. Parsemer de copeaux de jambon et arroser d'huile d'olive.

variante
On peut remplacer le jambon par des anchois, des copeaux de parmesan, du chèvre frais.

salade de haricots blancs, thym et basilic

pour 4 personnes
préparation : 5 mn
trempage : 12 h
cuisson : 1h30
250 g de haricots blancs
1 tomate
2 gousses d'ail
1 oignon
4 cuill. à soupe de basilic frais haché
1 cuill. à soupe de thym frais (ou sec)
romarin frais
3 cuill. à soupe d'huile d'olive
sel, poivre

La veille, mettre les haricots à tremper dans l'eau froide.
Le jour même, dans un faitout rempli de 2 fois leur volume d'eau salée, les faire cuire à feu moyen. Laver et couper la tomate en deux. Éplucher et couper l'oignon en deux. Peler et écraser les gousses d'ail. Ajouter tomate, ail et oignon dans le faitout. Au bout de 1h30 de cuisson, retirer du feu et séparer les haricots des autres ingrédients et du bouillon.
Dans un saladier, mettre l'ail, l'oignon et la tomate, le thym et le basilic. Saler et poivrer. Arroser d'huile d'olive. Ajouter les haricots. Mélanger. Servir tiède, décoré de romarin frais.

salade de carottes râpées aux amandes

pour 6 personnes
préparation : 15 mn
cuisson : 1 mn
10 belles carottes
1 concombre
100 g de raisins secs
100 g d'amandes effilées
1 cuill. à soupe de miel
1 cuill. à café de gingembre en poudre
1 cuill. à café de cannelle
le jus de 1/2 citron
huile d'olive, sel, poivre

Pour la salade : peler, laver et râper les carottes. Éplucher et laver le concombre. Le couper en deux dans le sens de la longueur, retirer les graines et couper la chair en cubes. Dans un saladier, mélanger les carottes, le concombre et les raisins secs.
Pour l'assaisonnement : dans un bol, verser le gingembre, la cannelle, le miel, le jus de citron, 3 cuill. à soupe d'huile d'olive, du sel et du poivre. Mélanger à la salade.
Décorer d'amandes effilées légèrement grillées à la poêle 1 mn. Servir frais.

salade de carottes aux olives vertes

pour 6 personnes
préparation : 10 mn
cuisson : 25 mn
réfrigération : 2 h
10 belles carottes
1 gousse d'ail
1 bouquet de coriandre fraîche
250 g d'olives vertes dénoyautées
1 cuill. à café de cumin en poudre
1 cuill. à café de cannelle en poudre
3 cuill. à soupe d'huile d'olive
le jus de 1 citron
sel, poivre

Peler et laver les carottes. Les couper en rondelles. Les mettre à cuire à feu vif dans une casserole, dans deux fois leur volume d'eau froide et salée, 20 mn environ. Les égoutter et réserver.
Peler et hacher la gousse d'ail. Dans une poêle légèrement huilée, faire dorer l'ail, ajouter les carottes et les olives. Laisser cuire 2 mn.
Dans un saladier, mélanger le cumin, la cannelle, le jus de citron, l'huile d'olive, puis la poêlée de carottes et d'olives. Saler et poivrer. Mélanger à nouveau. Servir la salade froide et décorée de coriandre ciselée.

couscous aux dattes et aux noix

pour 6 personnes
préparation : 10 mn
cuisson : 10 mn

400 g de semoule moyenne
(ou de graine de couscous)
200 g de pois chiches en conserve
200 g de dattes
200 g de cerneaux de noix
1/2 cube de bouillon de légumes
cannelle en poudre
beurre
huile d'olive

Dans 1 l d'eau porté à ébullition, plonger le 1/2 cube de bouillon de légumes. Hors du feu, verser la semoule et laisser gonfler 3 à 4 mn. Ajouter une noix de beurre et remuer. Si la graine n'est pas assez cuite, remettre à feu très doux. Parfumer le couscous de quelques gouttes d'huile d'olive, puis l'égrener à la fourchette jusqu'à ce qu'il soit léger et que ses graines se détachent. Ajouter les dattes et les cerneaux de noix grossièrement hachés, puis les pois chiches rincés et égouttés.
Disposer le couscous dans une assiette creuse (ou un plat creux), en formant un dôme. Saupoudrer de cannelle.

Maman,
La semoule se cuit aussi dans une poêle chaude avec de l'huile d'olive. Je grille légèrement la graine. J'ajoute de l'eau parfumée au bouillon de légumes. Je mélange.
Je laisse gonfler hors du feu.
Si la graine n'est pas assez cuite, je la remets à feu doux en ajoutant un peu d'eau.
Puis je l'égrène.

variantes

Le couscous se prête à de nombreux mariages. Avec les pois chiches en ingrédient de base, on peut ajouter des lamelles de poivrons grillés, des raisins secs et des pignons de pin, ou des lamelles de poivrons grillés et d'oignons rôtis, des dés de carottes et de courgettes. Côté fines herbes, le couscous apprécie les feuilles de coriandre ou les brins de ciboulette frais. Côté épices, il se parfume de cannelle, de cumin, de gingembre, de paprika.

Maman,
Un copain est venu bosser chez moi et
est resté déjeuner à l'improviste. J'ai
écrasé et mélangé les restes de keftas
à la sauce tomate. J'en ai garni deux
moitiés de baguette. J'ai ajouté de
la feta et des olives noires, du jus de
citron et un filet d'huile d'olive. Fameux,
ces sandwiches à midi !

tajine de keftas

pour 6 personnes
préparation : 20 mn
cuisson : 50 mn

pour la sauce tomate
800 g environ de tomates pelées en boîte
1 oignon
2 gousses d'ail
1 cuill. à soupe de cumin en poudre
1 cuill. à soupe de paprika
1 cuill. à soupe d'huile d'olive
sel, poivre

pour les keftas
800 g de bœuf haché
1 oignon
1 bouquet de menthe fraîche
1 bouquet de persil plat
2 œufs
1 cuill. à soupe de cumin en poudre
1 cuill. à soupe de paprika
1 cuill. à café de cannelle
2 cuill. à soupe d'huile d'olive
sel, poivre

Préparer la sauce tomate : peler et hacher l'oignon. Écraser les gousses d'ail pelées. Faire chauffer l'huile d'olive dans une poêle. Mettre à dorer l'ail et l'oignon. Ajouter les épices et les tomates. Saler, poivrer et laisser mijoter à feu très doux, le temps de préparer les keftas.
Préparer les keftas : peler l'oignon. Laver la menthe et le persil plat. Hacher le tout. Dans un grand bol, mélanger l'oignon, la moitié de la menthe et du persil, la viande crue, les œufs, les épices, du sel et du poivre. Former des boulettes en prenant un peu de cette préparation au creux d'une main et en la roulant de l'autre. Faire chauffer l'huile d'olive dans une poêle et faire dorer les boulettes. Puis, les mettre dans le plat à tajine avec la sauce tomate. Laisser mijoter 30 mn environ, sur feu doux ou au four (th. 6). Avant de servir, parsemer de persil et de menthe.

astuce
Les boulettes de viande peuvent cuire à la poêle ou au faitout.

tajine de poulet aux olives

pour 6 personnes
préparation : 10 mn
cuisson : 1h30

12 morceaux de poulet
(avec ou sans peau)
3 gousses d'ail
2 oignons
1 bouquet de coriandre fraîche
250 g d'olives vertes (ou noires)
entières ou dénoyautées
1 citron confit
1 cuill. à soupe de cumin en poudre
1 cuill. à soupe de paprika en poudre
1 cuill. à café de gingembre en
poudre
1 cuill. à café de cannelle en poudre
5 cuill à soupe d'huile d'olive
le jus et le zeste de 3 citrons
le jus de 1 orange
sel, poivre

Éplucher et hacher les oignons et l'ail. Réserver. Laver les zestes de citron et les couper en fines lamelles. Les mettre dans un bol avec les épices, 3 cuill. à soupe d'huile d'olive, les jus de citrons et d'orange, la moitié du bouquet de coriandre fraîche hachée, du sel, du poivre et 1 verre d'eau. Bien mélanger. Réserver.

Faire dorer les morceaux de poulet quelques minutes dans une poêle avec 1 cuill. à soupe d'huile d'olive. Badigeonner le fond du plat à tajine d'huile d'olive (1 cuill. à soupe). Déposer les morceaux de poulet dorés. Parsemer avec les oignons et l'ail hachés, les morceaux de citron confit et les olives. Verser dessus le contenu du bol. Couvrir et laisser cuire sur une plaque à feu doux ou au four (th. 6) 1h30 minimum. Ajouter de l'eau, si nécessaire. Avant de servir, décorer avec le reste de coriandre.

salade d'oranges au safran et à l'huile d'olive

pour 6 personnes
préparation : 15 mn
cuisson : 3 mm
réfrigération : 20 mn

10 oranges
50 g de sucre en poudre
1 cuill. à café de miel
1 pincée de pistils de safran
3 cuill. à soupe d'huile d'olive

Presser 2 oranges. Sur feu moyen, verser le jus dans une casserole et y dissoudre le sucre et le miel. Laisser refroidir à l'air.
Peler les autres oranges à vif (en enlevant la peau blanche). Les couper en rondelles. Les installer sur une grande assiette (transparente ou en terre, de préférence). Assaisonner du sirop d'orange refroidi. Parsemer de safran. Arroser d'huile d'olive. Servir frais.

poires pochées au safran et aux graines de vanille

pour 4 personnes
préparation : 5 mn
cuisson : 30 mn

4 poires
quelques dattes
200 g de sucre
1 gousse de vanille
l'écorce de 1 citron
1 cuill. à soupe de gingembre en poudre
1 pincée de pistils de safran
50 cl d'eau

Éplucher les poires en les conservant entières. Couper la vanille en deux et gratter les graines. Mettre la vanille coupée et les graines dans une casserole avec l'eau, le sucre, le safran, le gingembre et l'écorce de citron lavée. Porter à ébullition en remuant.
Hors du feu, plonger les poires dans le sirop bouillant, remettre la casserole sur le feu et laisser pocher les poires environ 20 mn. Servir dans un saladier ou dans des bols individuels transparents.
Décorer avec des dattes coupées en deux.

pommes bonne femme

pour 4 personnes
préparation : 10 mn
cuisson : 20 mn

4 pommes
15 cl de jus de pomme
l'écorce et le jus de 1/2 citron
10 g de beurre
1 cuill. à soupe de miel
1 cuill. à soupe de raisins secs
2 cuill. à soupe d'amandes effilées
1/2 cuill. à café de cannelle en poudre

Mettre les raisins secs à gonfler dans le jus de pomme. Préchauffer le four (th. 6).
Prélever l'écorce du 1/2 citron. La laver et la couper en très fines lamelles, puis en dés. Presser le 1/2 citron. Réserver l'écorce coupée en deux et le jus.
Laver et essuyer les pommes. Couper le haut des pommes pour leur faire un chapeau. Ôter leur cœur et creuser à l'aide d'un couteau à pointe fine.
Égoutter les raisins. Dans un bol, mélanger les raisins, les amandes effilées, le miel, la cannelle, le jus et l'écorce de citron. Remplir les pommes de cette préparation et les couvrir avec leur chapeau. Les installer dans un plat beurré allant au four. Répartir le beurre restant sur chaque pomme. Mettre au four 20 mn.
Ce dessert se sert tiède ou froid, selon les goûts, et peut être accompagné de glace à la vanille.

invite tes copains

tartines de sardines en vinaigrette d'ananas, de pignons de pin et de tomates séchées

pour 4 personnes
préparation : 10 mn
pas de cuisson
réfrigération : 2 h

8 fines tranches de pain de campagne
8 sardines à l'huile d'olive (soit l'équivalent de 2 boîtes)
gingembre en poudre

pour la vinaigrette

1 tranche d'ananas frais (à défaut, au sirop)
le jus de 1/2 citron vert et 1 rondelle de citron vert
1 brin de thym frais
1 cuill. à soupe d'un mélange de coriandre fraîche et de ciboulette grossièrement hachées
1 cuill. à café de tomates séchées coupées en dés
1 cuill. à café de pignons de pin
1 cuill. à café de vinaigre balsamique
3 cuill. à soupe d'huile d'olive
fleur de sel, poivre du moulin

Égoutter les sardines, les mettre dans une assiette et les saupoudrer d'un peu de gingembre.
Préparer la vinaigrette : tailler la rondelle de citron vert en tout petits dés. Les mettre dans un bol avec le jus de citron vert. Incorporer le vinaigre balsamique et l'huile d'olive. Tout en mélangeant, ajouter l'ananas et les tomates séchées taillées en dés, les pignons de pin, le thym effeuillé et les fines herbes.
Arroser les sardines d'un peu de cette vinaigrette. Réserver au réfrigérateur 2 h.
Dans chaque assiette, disposer deux tranches de pain légèrement grillées surmontées d'une sardine chacune. Couvrir de la vinaigrette restante, parsemer d'un peu de fleur de sel et de poivre du moulin.

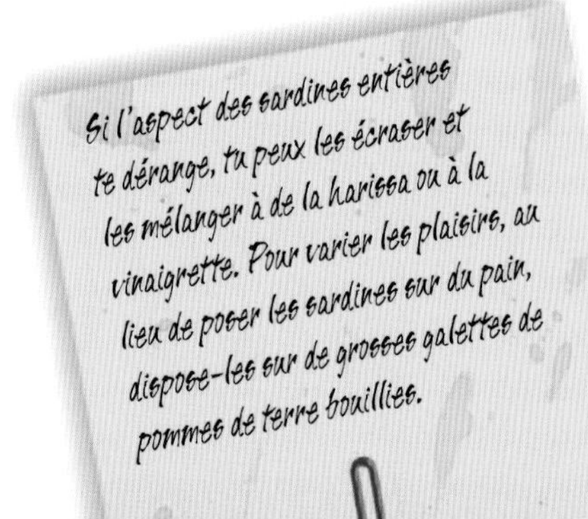

tartines de sardines à la harissa

pour 2 personnes
préparation : 10 mn
cuisson : 3 mm

4 fines tranches de pain de campagne
1 boîte de sardines à l'huile
1/2 échalote
1 cuill. à café d'un mélange de coriandre fraîche et de ciboulette hachées
1 cuill. à café de harissa (déjà prête, en pot ou en tube)
1 cuill. à soupe d'huile d'olive
le jus de 1 citron

Dans un bol, mélanger la harissa, l'huile d'olive, l'échalote pelée et finement hachée, et les fines herbes. Réserver.
Égoutter les sardines. Après les avoir fait griller légèrement, tartiner les tranches de pain de la préparation à la harissa et poser sur chacune une sardine. Dresser dans les assiettes et arroser de quelques gouttes d'huile d'olive et de jus de citron, selon les goûts.

pain de ricotta aux courgettes

pour 8 personnes
préparation : 30 mn
cuisson : 45 mn

500 g de ricotta
2 courgettes
1 œuf
2 cuill. à soupe de crème fraîche
3 brins de ciboulette finement hachée
1 cuill. à soupe de thym en poudre
2 cuill. à soupe d'huile d'olive
sel, poivre

Préchauffer le four (th. 5).
Laver les courgettes et les couper en tout petits dés. Les faire revenir dans une poêle avec 1 cuill. à soupe d'huile d'olive. Saler, poivrer, saupoudrer de thym.
Dans un saladier, émietter la ricotta, ajouter l'œuf, la crème fraîche et battre le tout au fouet. Incorporer les courgettes et la ciboulette. Bien mélanger. Huiler un moule à cake, y verser la préparation et mettre au four 45 mn environ.
Servir avec une salade verte.

Pour que les cakes et les flans ne noircissent pas en cuisant, il faut les recouvrir d'une feuille d'aluminium à mi-cuisson.

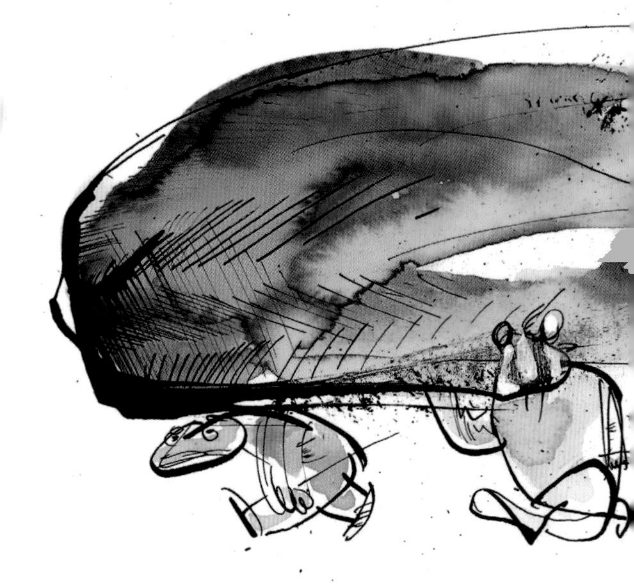

flan de courgettes

pour 8 personnes
préparation : 30 mn
cuisson : 40 mn
réfrigération : 4 h

1 kg de courgettes
8 œufs
2 cuill. à soupe de crème fraîche
2 gousses d'ail pelées et hachées
3 brins de ciboulette finement hachée
thym en poudre
2 cuill. à soupe d'huile d'olive
sel, poivre

Préchauffer le four (th. 6).
Laver les courgettes et les couper en dés. Dans une poêle, faire chauffer 1 cuill. à soupe d'huile d'olive et faire revenir les courgettes avec l'ail. Saler, poivrer, saupoudrer d'un peu de thym.
Dans un saladier, battre les œufs et la crème fraîche. Ajouter les courgettes et la ciboulette. Mélanger.
Huiler un moule à cake et y verser la préparation. Le déposer dans un bain-marie (un plat plus grand contenant de l'eau). Mettre le tout au four 40 mn environ.
Placer le flan 4 h au réfrigérateur avant de le servir accompagné d'un coulis de tomates et de poivrons *(voir p. 54)*.

variante

On peut aussi réaliser ce flan en mélangeant des dés de courgettes et de poivrons rouges.

club sandwiches

pour 4 personnes
préparation : 10 mn
cuisson : 10 mn

12 tranches de pain de mie
2 petits blancs de poulet
4 tranches de salami
2 tomates ou 6 tomates cerises
4 feuilles de laitue
(ou de salade iceberg)
2 tranches de cheddar
(ou de gouda)
2 cuill. à soupe de mayonnaise
1 cuill. à soupe de crème fraîche épaisse
1 cuill. à café de concentré de tomates
1 cuill. à café de poudre d'ail
1 cuill. à café de Worcestershire sauce®
huile de cuisson
sel, poivre

Laver les tomates et la salade. Émincer le tout.
Dans un bol, faire une sauce avec la mayonnaise, la crème fraîche, le concentré de tomates, l'ail, la Worcestershire sauce®, du sel, du poivre.
Dans une poêle, faire chauffer de l'huille et mettre à cuire le poulet finement émincé, 10 mn environ.
Faire griller les 12 tranches de pain de mie, les couper en deux dans la diagonale pour former 24 triangles et les tartiner de sauce mayonnaise.
Sur 4 triangles disposer le salami.
Garnir 4 autres triangles de fromage, de salade et de tomates.
Sur 4 autres triangles, répartir le blanc de poulet et un peu de mélange de tomates et de salade.
Assembler chaque triangle garni avec un triangle à la sauce mayonnaise et former les club sandwiches en superposant, pour chacun, salami, fromage-tomates, poulet.
Maintenir chaque club sandwich avec une pique en bois ou un cure-dent. Servir avec des chips et/ou de la salade.

variante
On peut remplacer le salami par du bacon.

bricks de thon

pour 4 personnes
préparation : 10 mn
cuisson : 7 mn

4 feuilles de brik (ou filo)
400 g environ de thon en boîte
1 oignon
3 cuill. à soupe d'un mélange de coriandre, de menthe et de ciboulette fraîches hachées
1 cuill. à café de paprika en poudre
1 cuill. à café de cumin en poudre
huile d'olive
sel, poivre

Peler et hacher l'oignon. Le faire dorer à la poêle dans 1 cuill. à soupe d'huile d'olive chauffée. Égoutter le thon. Le mettre dans un saladier avec l'oignon, les fines herbes, le paprika, le cumin et 1 cuill. à soupe d'huile d'olive. Saler, poivrer et bien mélanger le tout.
Préchauffer le four (th 7).
Huiler chaque face des feuilles de brick. Les couper en deux. Répartir sur chacune, en la centrant, la préparation au thon. Replier les feuilles de brick jusqu'à l'obtention d'un rectangle. Poser une feuille de papier sulfurisé sur la plaque du four. Installer les bricks. Les laisser cuire 5 à 7 mn environ, jusqu'à ce qu'elles soient bien dorées et croustillantes. Servir sans attendre avec une salade verte.

millefeuille de concombre et de saumon

pour 4 personnes
préparation : 10 mn
pas de cuisson
6 tranches de saumon fumé
1 concombre
quelques brins de ciboulette
1 cuill. à café de wasabi
(ou de raifort)
1 cuill. à soupe de crème liquide
2 cuill. à soupe d'huile d'olive
le jus de 1/2 citron
sel, poivre

Dans un bol, mélanger le wasabi, le jus de citron, la crème liquide, 1 cuill. à soupe d'huile d'olive, saler et poivrer. Réserver.
Laver le concombre. Couper ses deux extrémités et le tailler en tronçons de 10 cm environ. Découper ces tronçons en fines tranches. Façonner le saumon en tranches de même grandeur. Sur chaque assiette, assembler un millefeuille qui doit comporter 4 tranches de concombre et 3 tranches de saumon, dans l'ordre suivant : 1 tranche de concombre, une tranche de saumon, une couche de sauce, et ainsi de suite en terminant par le concombre. Décorer de brins de ciboulette et de 8 gouttes d'huile d'olive.

tuna fish salad

pour 4 personnes
préparation : 5 mn
pas de cuisson
400 g environ de thon en boîte
1/2 concombre
4 cuill. à soupe de mayonnaise
2 cuill. à soupe de câpres hachées
3 brins de persil finement hachés
le jus de 1/2 jus de citron
poivre

Égoutter le thon. Le mettre dans un saladier avec la mayonnaise, le jus de citron, les câpres et le persil finement haché. Poivrer. Écraser en mélangeant le tout à la fourchette. Peler, laver et découper le concombre en petits cubes et en parsemer le thon. Accompagner de pommes de terre en robe des champs.
Décorer avec des olives noires.

quiche lorraine

pour 4 à 6 personnes
préparation : 5 mm
cuisson : 40 mn

1 rouleau de pâte brisée
200 g de jambon cuit ou de lardons
4 œufs
150 g de fromage râpé
25 cl de crème fraîche liquide
1 oignon, 1 gousse d'ail
1 bouquet de ciboulette
sel, poivre

Préchauffer le four (th. 8).
Dans un saladier, battre les œufs, la crème fraîche, le fromage râpé, le sel et le poivre.
Tailler le jambon en lamelles.
Couvrir le fond et les bords d'un plat à tarte de papier sulfurisé et étaler la pâte dessus.
Peler et hacher l'ail et l'oignon. Laver et ciseler la ciboulette.
Répartir sur le fond le jambon, l'oignon, l'ail et la ciboulette. Verser la préparation aux œufs.
Enfourner. Servir tiède.

tarte au saumon fumé et au chèvre frais

pour 4 ou 6 personnes
préparation : 10 mn
cuisson : 35 mn

1 rouleau de pâte feuilletée prête à l'emploi
3 tranches de saumon fumé
200 de chèvre frais
2 œufs
10 cl de crème fraîche épaisse
3 cuill. à soupe d'un mélange de coriandre, d'aneth et de ciboulette ciselées
3 cuill. à soupe d'huile d'olive
poivre

Préchauffer le four (th. 8). Dans un saladier, mélanger avec l'huile d'olive, les fines herbes et du poivre. Y mettre le saumon, découpé en fines lanières, à mariner. Réserver au réfrigérateur. Dans un bol, mélanger les œufs, le chèvre frais et la crème fraîche.
Dérouler la pâte dans un moule à tarte tapissé de papier sulfurisé. Verser la préparation au fromage de chèvre. Cuire au four 35 mn.
Sortir la tarte du four, parsemer de lanières de saumon fumé mariné. Servir à l'apéritif ou en entrée.

rouleaux de printemps

Les rouleaux s'apprécient tels quels ou plongés dans une sauce composée de nuoc-mâm et de sauce de soja, à laquelle tu peux ajouter du jus de citron, de l'ail et du piment en poudre.

pour 4 personnes
préparation : 30 mn
pas de cuisson

100 g de crevettes décortiquées, cuites et congelées
100 g de germes de soja
1 carotte râpée
1/2 concombre
100 g de chou chinois
1 échalote
16 feuilles de menthe fraîche
50 g de champignons shiitake séchés
50 g de vermicelles de riz
8 feuilles de riz

Passer les crevettes sous l'eau chaude pour les décongeler. Les égoutter et réserver.
Plonger séparément les vermicelles et les champignons dans un bol d'eau bouillante. Quand les vermicelles sont tendres, les égoutter et les couper en deux. Au bout de 15 mn, égoutter les champignons puis les tailler en fines lamelles.
Laver le concombre sans le peler. Le couper en deux dans le sens de la longueur, retirer les graines et le tailler en 8 bâtonnets. Laver et égoutter les feuilles de menthe et les germes de soja.
Hacher finement le chou ainsi que l'échalotte.
Placer les feuilles de riz, une à une, dans un bol d'eau chaude, 1 mn environ, pour les ramollir légèrement. Les étaler sur une planche. Les essuyer à l'aide de papier absorbant, si besoin.
Disposer au centre de chaque feuille, à parts égales, tous les ingrédients, sans oublier la carotte râpée, le chou, l'échalote et le concombre.
Replier les extrémités de chaque feuille puis la rouler. Disposer deux rouleaux de printemps dans chaque assiette.

cake aux olives et à l'écorce de citron râpée

pour 6 personnes
préparation : 15 mn
cuisson : 45 mn
250 g de farine
200 g d'olives dénoyautées (vertes ou noires)
3 œufs
125 g de beurre fondu
(ou l'équivalent d'huile d'olive)
2 cuill. à café de thym et de romarin mélangés (frais ou secs)
2 écorces de citron lavées et hachées
1 paquet de levure chimique
1 cuill. à café de sel

Préchauffer le four (th. 7).
Tapisser un moule à cake de beurre fondu (ou d'huile d'olive) avec les doigts et verser le reste dans un saladier avec la farine, la levure chimique et le sel. Mélanger, puis incorporer les œufs un à un. Terminer par les olives, les écorces de citron et le mélange de thym et de romarin.
Enfourner et laisser cuire 45 mn.

variantes

Cake aux lardons et aux olives : remplacer les 200 g d'olives et les écorces de citron par 100 g d'olives et 100 g de lardons. Accompagner d'un coulis de tomates au thym ou aux poivrons.

Cake aux carottes râpées et amandes effilées : remplacer les olives et les écorces de citron par 400 g de carottes râpées, 1 cuill. à café de cannelle en poudre, 1 cuill. à café de noix muscade. et 100 g d'amandes effilées.

Cake aux cerises et aux zestes de citron confits : remplacer les olives et le citron par 120 g de cerises, 120 g de zestes de citron confits et 100 g d'amandes effilées. Ajouter 120 g de sucre en poudre et utiliser du beurre et non de l'huile.

gaspacho espagnol

pour 4 personnes
préparation : 10 mn
pas de cuisson
réfrigération : 8 h

1 kg de tomates
1 concombre
1 poivron rouge
1 oignon
1 gousse d'ail
1 petite boîte de concentré de tomates
1 feuille de menthe
3 cuill. à soupe d'huile d'olive
le jus de 1 citron
sel, poivre

Si le gaspacho te paraît trop épais, ajoute un peu d'eau. Si, au contraire, il est trop liquide, incorpore du concentré de tomates.

Laver les légumes. Peler et laver le concombre. Le couper en deux et enlever les graines. Laver les tomates et le poivron. Les couper en deux et enlever les graines. Tailler le concombre et le poivron en dés et en mettre la moitié dans le bol du mixeur. Ajouter l'oignon et l'ail pelés et finement hachés, les tomates, 25 g de concentré de tomates, l'huile d'olive et le jus de citron. Saler et poivrer. Réduire le tout en purée. Mettre au réfrigérateur 8 h.
Avant de servir, disposer dans un saladier les dés de poivron et de concombre restants. Ajouter la purée de tomates et rectifier l'assaisonnement. Décorer avec une feuille de menthe.
À table, mettre à disposition un bol de croûtons nature ou frottés d'ail.

variante

Gaspacho mexicain : sur la base de réalisation du gaspacho espagnol et avec les mêmes ingrédients, ajouter à la purée de tomates 2 cuill. à café de poudre de chili. Avant de servir, incorporer dans le gaspacho la chair de 2 avocats coupés en gros cubes. Rectifier l'assaisonnement en poudre de chili. Présenter accompagné d'un bol de guacamole et d'un bol de salsa *(voir p. 127)*.

tofu au lait de coco

pour 4 personnes
préparation : 5 mn
cuisson : 15 mn
600 g de tofu
1 échalote
1 cuill. à soupe de coriandre fraîche et finement ciselée
3 cuill. à soupe de sauce de soja
1 cuill. à soupe de gingembre en poudre
1 pincée de piment en poudre (ou 2 gouttes de Tabasco®)
50 cl de bouillon de volaille
50 cl de lait de coco
le jus de 1/2 citron vert
1 cuill. à soupe d'huile d'olive
sel, poivre

Peler et découper finement l'échalote. Dans une poêle, faire chauffer de l'huile et mettre l'échalote à frire. Mettre l'échalote dans une casserole avec le lait de coco, le bouillon de volaille, la sauce de soja, le piment (ou le Tabasco®), le jus de citron et le gingembre. Saler, poivrer. Faire chauffer 15 mn environ à feu moyen, en remuant souvent.
Égoutter le tofu et le découper en cubes. Le répartir dans quatre bols avec la coriandre. Verser le bouillon au lait de coco par-dessus. Laisser infuser 2 mn avant de servir.

galettes au maïs

pour 4 personnes
préparation : 10 mn
cuisson : 15 mn
repos : 20 mn
280 g de maïs en boîte
3 œufs
80 g de farine de maïs
(type Maïzena®)
2 cuill. à soupe de lait
huile d'arachide
2 pincée de sel

Verser dans le bol d'un robot 200 g de maïs égoutté, les œufs, la farine, le lait et le sel. Mixer le tout et laisser reposer 20 mn. Mélanger ensuite la pâte obtenue avec le maïs restant.
Dans une poêle, mettre l'huile à chauffer. Former des galettes avec la pâte de maïs et les faire frire. Quand elles sont bien dorées sur chaque face, les poser sur du papier absorbant.
Servir, dans chaque assiette, 2 galettes, 1 blanc ou 1 cuisse de poulet poêlé à la sauce mole poblano.

mole poblano (sauce chocolat et piment)

pour 1 bol
préparation : 10 mn
cuisson : 1 h
15 g de poudre de cacao non sucré
1/2 tortilla (ou une tranche de pain)
1 tomate
1 gousse d'ail
20 cl de bouillon de volaille
1 piment mexicain (ou de Cayenne)
1 cuill. à café de cannelle en poudre
1 clou de girofle
huile de cuisson
2 pincées de sel

Peler et hacher l'ail. Laver et peler la tomate. Couper le piment en deux et l'épépiner. Le rincer à l'eau chaude, l'essorer et le mettre dans le bol du mixeur avec tous les autres ingrédients, sauf l'huile de cuisson. Broyer jusqu'à obtenir une pâte.
Dans une casserole, mettre de l'huile à chauffer. Verser la préparation et laisser cuire 1 h à feu doux en remuant souvent.
Servir en accompagnement des galettes de maïs.

curry de crevettes

pour 6 personnes
préparation : 15 mn
cuisson : 10 mn

800 g de crevettes surgelées, cuites et décortiquées
2 tomates
100 g de pousses de bambou en boîte
1 cuill. à café d'ail en poudre
1 cuill. à soupe de pâte ou de poudre de curry rouge
30 cl de lait de coco
le jus de 1 citron vert
1 cuill. à soupe d'huile d'olive
sel, poivre

pour la décoration (facultatif)
quelques haricots verts cuits
quelques pousses de soja crues

Maman,
À la place des crevettes, j'ai mis des émincés de poulet. Un curry au poulet, c'est pas mal avec le riz ! Le curry à l'agneau ou aux aubergines s'accommode mieux avec du raïta de concombre.

Décongeler les crevettes en les passant sous l'eau chaude. Les égoutter et réserver. Laver les tomates et les couper en petits dés. Réserver. Dans une poêle, faire chauffer l'huile et mettre la pâte de curry à fondre avec un peu d'huile. Ajouter les dés de tomates et laisser cuire 3 mn. Incorporer les crevettes, les pousses de bambou, le lait de coco et le jus de citron vert. Saupoudrer d'ail, saler et poivrer. Remuer et laisser mijoter 7 mn à feu doux.
Présenter dans un grand bol ou un plat creux. Décorer avec quelques haricots verts cuits et quelques pousses de soja crues. Servir accompagné de riz parfumé.

fajitas de poulet

pour 4 personnes
préparation : 45 mn
marinade : 4 h
cuisson : 15 mn

3 blancs de poulet
2 poivrons verts
1 poivron rouge
1 oignon
1 cuill. à soupe d'huile d'olive

pour la marinade
1 cuill. à soupe d'ail en poudre
1 cuill. à soupe d'oignon en poudre
2 cuill. à soupe d'huile d'olive
3 gouttes de Tabasco®
poivre

pour servir
1 bol de fromage blanc
1 bol de guacamole
(voir ci-contre)
1 bol de salsa
(voir ci-contre)
8 tortillas de blé

Si le poulet est au réfrigérateur, le sortir à l'avance pour le laisser revenir à température ambiante.

Préparer la marinade : dans un bol, mélanger tous les ingrédients.

Badigeonner les blancs de poulet de marinade, puis les placer 4 h au réfrigérateur.

Laver les poivrons, les couper en deux et enlever leurs graines. Peler l'oignon. Détailler poivrons et oignon en fines lamelles.

Dans une poêle, faire chauffer l'huile d'olive et y faire revenir le poulet mariné pendant 5 mn.

Puis ajouter les légumes et le jus de la marinade.

Poursuivre la cuisson à feu moyen, jusqu'à ce que tous les ingrédients soient tendres.

Servir accompagné de guacamole, de salsa, de fromage blanc et de tortillas bien chaudes.

À chacun des convives de se préparer ses fajitas en garnissant les tortillas d'un peu de chaque ingrédient.

salsa

pour 1 bol
préparation : 5 mn
pas de cuisson

2 tomates, 1/2 poivron rouge
concentré de tomates
1 cuill. à café de poudre d'ail
1 cuill. à café de poudre d'oignon
le jus de 2 citrons verts
6 gouttes de Tabasco®
3 cuill. à soupe d'huile d'olive
sel, poivre

Laver et découper le 1/2 poivron rouge et les tomates en tout petits dés. Les mettre dans un bol avec 1 cuill. à soupe de concentré de tomates, l'ail, l'oignon, le Tabasco®, l'huile d'olive, le jus des citrons, le sel et le poivre. Bien mélanger. Réserver au froid.

guacamole

Couper les avocats en deux et retirer le noyau. Prélever la chair et l'écraser à la fourchette jusqu'à obtenir une purée. Dans un bol mettre l'oignon et la gousse d'ail, pelés et finement hachés. Mélanger avec 1 cuill. à soupe de concentré de tomates, le piment émietté, la coriandre, le curcuma, l'huile d'olive, le jus de citron. Saler et poivrer.

pour 1 bol
préparation : 5 mn
pas de cuisson

2 avocats bien mûrs
1 petit piment sec
1 gousse d'ail
1 oignon
concentré de tomates
1 pincée de coriandre en poudre
1 pincée de curcuma en poudre
2 cuill. à soupe d'huile d'olive
le jus de 1 citron
sel, poivre

poulet tandoori

pour 4 personnes
préparation : 10 mn
marinade (au frais) : 4 h
cuisson : 30 mn

4 cuisses de poulet
2 yaourts
3 cuill. à soupe de poudre de tandoori
1 cuill. à soupe d'ail en poudre
1 cuill. à soupe de gingembre en poudre
le jus de 1/2 citron
2 cuill. à soupe d'huile d'arachide
1 cuill. à café de poivre moulu

Retirer la peau des cuisses de poulet. Dans un grand bol, mélanger les yaourts, les épices, le jus de citron et le poivre. Enduire les cuisses de ce mélange et laisser mariner 4 h au réfrigérateur. Huiler la plaque du four, disposer les cuisses de poulet et les laisser cuire sous le gril 30 mn en les retournant souvent.
Servir avec du cheese nan, pain indien fourré à la crème de gruyère.

brochettes de poulet au gingembre et aux graines de sésame

pour 4 personnes

préparation : 10 mn

cuisson : 10 mn

4 blancs de poulet
4 brins de ciboulette finement ciselés
2 cuill. à soupe de gingembre en poudre
2 cuill. à soupe de sauce de soja
1 noix de beurre
3 cuill. à soupe de graines de sésame
le jus de 1/2 citron vert
1 cuill. à café d'huile d'arachide
sel, poivre

Mettre la sauce de soja dans un bol avec 1 cuill. à café de graines de sésame. Réserver. Étaler le reste des graines de sésame dans une assiette. Dans une poêle, faire fondre le beurre et chauffer l'huile. Mettre le poulet coupé en gros cubes à dorer à feu vif. Au bout de 5 mn, saupoudrer de gingembre et de poivre. Remuer. Poursuivre la cuisson 4 à 5 mn à feu moyen. Retirer le poulet.

Déglacer le jus avec le citron et le parsemer de ciboulette. Le verser dans la sauce de soja. Mélanger.

Saler légèrement le poulet. Former 4 ou 8 brochettes en enfilant les cubes de poulet sur des piques. Enduire les brochettes des graines de sésame.

Servir les brochettes arrosées de sauce et accompagnées de tofu.

chili con carne

pour 4 personnes
préparation : 10 mn
cuisson : 1 h

500 g de viande hachée
1 poivron vert
2 oignons
1 gousse d'ail
1 grosse boîte de haricots rouges
1 boîte de 400 g de tomates pelées
4 verres de riz blanc
1 boîte de 140 g de concentré de tomates
1 cuill. à soupe de poudre de chili
1 petit piment de Cayenne
2 cuill. à soupe d'huile
sel

Faire chauffer l'huile dans un faitout ou une cocotte pour y faire rissoler les 2 oignons et l'ail pelés et hachés. Au bout de 2 mn, ajouter le poivron lavé, épépiné et coupé en petits morceaux. Poursuivre la cuisson 2 mn encore, puis ajouter la viande hachée. Mélanger et saler. Quand tout est bien doré, verser les tomates pelées et le concentré de tomates, la poudre de chili, le piment émietté et les haricots rouges avec leur jus. Remuer, couvrir et laisser mijoter 1 h. Faire cuire le riz dans une grande casserole d'eau bouillante salée. Avant de servir, disposer le chili dans un plat creux, accompagné de riz blanc.

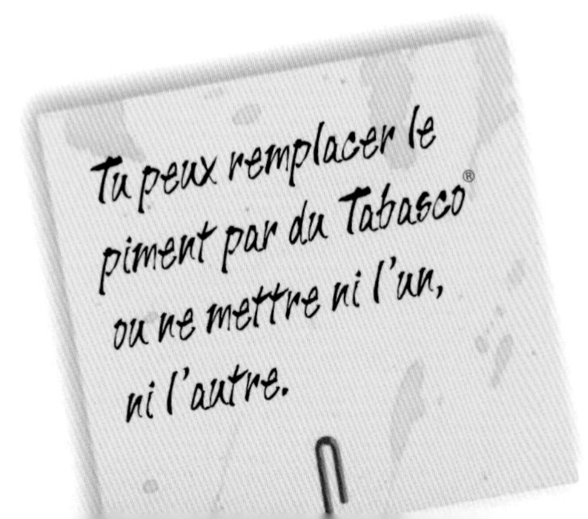

cookies au chocolat

pour 20 cookies
préparation : 15 mn
cuisson : 15 mn

250 g de chocolat noir
250 g de farine
250 g de beurre ramolli
200 g de sucre en poudre
2 œufs
1 paquet de sucre vanillé
1/2 paquet de levure chimique

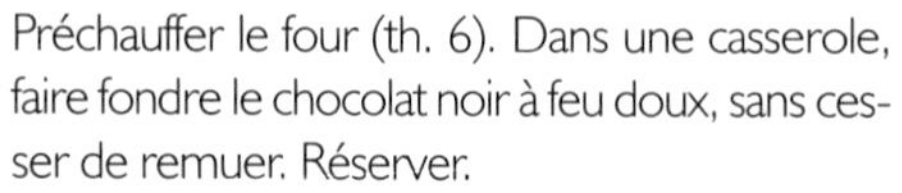

Préchauffer le four (th. 6). Dans une casserole, faire fondre le chocolat noir à feu doux, sans cesser de remuer. Réserver.
Dans un saladier, bien mélanger la farine, la levure et les œufs pour former une pâte homogène. Réserver.
Battre au fouet le beurre, le sucre vanillé et le sucre en poudre, jusqu'à obtenir un mélange crémeux. Verser cette préparation dans le saladier contenant la pâte et incorporer le chocolat. Mélanger au fouet pour bien aérer.
Tapisser la plaque de cuisson de 3 ou 4 feuilles de papier sulfurisé. Former et poser dessus 20 cookies. Faire cuire 15 mn au maximum.
Décoller les cookies délicatement à l'aide d'une spatule. Les servir chauds ou froids.

Cookies et brownie

Pour plus de saveur, ajoute au chocolat 200 g de pépites de chocolat, de noix de pécan, de noisettes, d'amandes, de pistaches ou de noix de coco en poudre.
À la place du chocolat noir, utilise du chocolat blanc.

brownie

pour 12 personnes
préparation : 15 mn
cuisson : 45 mn
250 g de chocolat noir
250 g de beurre
150 g de farine
3 œufs
300 g de sucre
1 paquet de sucre vanillé
1/2 paquet de levure chimique

Préchauffer le four (th. 6). Dans une casserole, faire fondre ensemble le chocolat et le beurre à feu doux, sans cesser de remuer. Laisser refroidir. Dans un saladier, mélanger la farine et la levure. Ajouter, en mélangeant bien, les œufs un à un, le sucre, puis le sucre vanillé. Incorporer délicatement la préparation au chocolat refroidie.
Beurrer un moule rectangulaire allant au four, étaler la pâte et enfourner. Au bout de 20 mn, couvrir le moule de papier d'aluminium. Poursuivre la cuisson pendant 20 mn ou un peu moins pour un brownie plus mœlleux.
Servir découpé en 12 portions rectangulaires.

tiramisu

pour 6 personnes
préparation : 15 mn
réfrigération : 2 h
20 biscuits à la cuiller
500 g de mascarpone
10 cl de crème liquide
100 g de sucre en poudre
1 paquet de sucre vanillé
6 tasses de café très serré
3 jaunes d'œufs
poudre de cacao

Dans un saladier, bien mélanger le mascarpone et la crème liquide.
Dans un bol, battre les jaunes d'œufs avec le sucre et le sucre vanillé. Les incorporer au mélange mascarpone-crème. Battre à nouveau. Verser la moitié de cette préparation dans le fond d'un plat à dessert. Disposer dessus les biscuits à la cuiller, légèrement trempés dans le café. Recouvrir du reste de la préparation au mascarpone. Mettre au réfrigérateur pendant 2 h.
Saupoudrer de cacao avant de servir.

crumble aux pommes

pour 4 personnes
préparation : 15 mn
cuisson : 35 mn

pour la garniture
4 grosses pommes
1 noix de beurre
1 cuill. à café de cannelle en poudre forte
1 cuill. à soupe de sucre
1/2 jus de citron

pour la pâte
100 g de farine
60 g de beurre
75 g de sucre
1 pincée de sel

Préparer la garniture : beurrer un plat à gratin. Y disposer les pommes pelées, épépinées et coupées en dés. Arroser de jus de citron, saupoudrer avec le sucre et la cannelle.
Préchauffer le four (th. 7).
Préparer la pâte : dans un saladier, mélanger le beurre, le sucre, le sel et la farine. Écraser le tout à l'aide de deux fourchettes pour former de gros grumeaux. Les saupoudrer sur les pommes.
Mettre au four 35 mn environ, jusqu'à ce que la croûte soit bien dorée.
À déguster aussitôt sorti du four, accompagné de crème fraîche épaisse ou de glace à la vanille.

astuce

Aux pommes, on peut ajouter des raisins secs, des myrtilles ou de la compote de rhubarbe.
Le crumble peut également se préparer avec des fruits rouges, un mélange de mangues et de pêches...

à propos des coulis de fruits

Un coulis à base de fruits s'obtient en mixant les fruits lavés (et au besoin pelés, dénoyautés et débarrassés des graines).

coulis de fruits rouges au gingembre
mélanger 500 g de fruits rouges surgelés ou frais (fraises, framboises, cerises, groseilles...), 2 cuill. à soupe de sucre en poudre, 1 cuill. à café de gingembre en poudre.

coulis de pêche, melon et menthe fraîche
mélanger 4 pêches (2 blanches, 2 jaunes), 1 petit melon, 6 feuilles de menthe fraîche, du sucre si nécessaire.

coulis de fruits exotiques
mélanger 1 mangue, 200 g de fruits de la passion, 1 orange, du sucre si nécessaire.

panna cotta au coulis de fruits

pour 6 personnes
préparation : 15 mn
cuisson : 7 mn
réfrigération : 12 h

5 feuilles de gélatine
150 g de sucre
1 l de crème liquide
1 gousse de vanille

Mettre les feuilles de gélatine à ramollir dans un bol d'eau froide.
Partager la gousse de vanille en deux et gratter les grains. Dans une casserole, les mélanger avec la crème et le sucre. Cuire à feu doux, en remuant souvent (la crème doit frémir, sans bouillir).
Au bout de 7 mn, retirer la crème du feu. Ôter la gousse de vanille.
Égoutter les feuilles de gélatine et les incorporer à la crème en fouettant bien pour les faire fondre. Verser la préparation dans un moule à cake beurré. Placer 12 h au réfrigérateur.
Servir avec un coulis de fruits, au choix *(voir recettes ci-contre)*.

variante

Panna cotta au chocolat au lait : il suffit d'ajouter 180 g de chocolat au lait fondu et de ramener la quantité de sucre à 80 g.

Maman,
J'ai essayé la panna cotta accompagnée d'un caramel au beurre salé. Je l'ai servie également accompagnée de morceaux de fruits confits (melon, abricot, zeste d'orange et de citron).

à toi, maman

Dimanche, il est tard. On a faim. On ne veut pas se quitter. Aucun de nous n'a vu l'heure, à force de taper le carton. L'épicier, ouvert la nuit, se trouve à l'autre bout de la ville. Galère pour un ravitaillement. Mais, à bien y réfléchir, sortir tout court pour grignoter, en laissant le plaisir à John d'avoir gagné, pas question ! La guerre n'est pas terminée.
Pause entre deux tours. Repli stratégique dans mon quartier général, deux mètres carrés de cuisine. Mon unique placard et mon réfrigérateur sont au garde-à-vous. Je les passe en revue. Ils déploient leur artillerie : du riz, un paquet de *cacahuètes*, une boîte de tomates pelées, un *chorizo* à qui il manque un bout, du *thon* au naturel et des fraises. Byzance : « Les gars, aidez-moi à peler l'oignon et l'ail et à ouvrir les boîtes. Je vous prépare un *riz*. N'oubliez pas non plus d'équeuter les fraises ! »
John a blêmi. Il comptait sur nos ventres affamés pour savourer son triomphe.

En un éclair, j'ai mis mon tablier de cuisine et j'ai sorti la poêle. Je venais de lancer la contre-attaque. Notre faim calmée, Henri, Louis et moi avons mis John minable. Sur le pas de la porte, en me disant au revoir, John m'a dit : « Quand tu veux, on fait la belle, surtout si tu refais ton repas. »
Ce soir-là, John, le mauvais joueur, John qui détestait perdre, est rentré sans râler. Mon riz l'avait vaincu. Les *fraises au sirop de vinaigre balsamique* avaient ajouté à l'effet de surprise. Il reconnaissait avoir perdu la bataille. Pas la guerre. Nous remettrions ça, bientôt.
Par mon acte culinaire héroïque, je venais de changer le cours des choses. Mes petits riens ont renforcé notre amitié à tous. Grâce à toi, maman. Je le dois à tes paroles : « Fais plaisir à ceux que tu aimes. Avec des petits riens. Avec des riens du tout. Pense à la cuisine. Elle est là pour tout ça. »
Pourtant, avant de saisir pleinement le sens de tes propos, combien d'essais m'ont été nécessaires pour me débrouiller avec ce que je possédais ?

Je n'avais pas l'aplomb de cuisiner, encore moins le sens de l'improvisation. Si tu m'avais vu, tout au début ! Un naufragé sur son radeau ! Je me rationnais pour survivre. Heureusement, loin du cocon familial, je n'avais guère d'appétit. Ton panier de provisions a duré plus d'une semaine. Au bout d'un énième grignotage, il s'est trouvé désespérément vide. Ou presque… il demeurait six œufs. J'avais repoussé le temps de les cuire. J'avais banni le mot cuisson de mon vocabulaire. Toi seule avais le droit de me cuire et de me mijoter de bons petits plats. Tu n'étais pas là pour me nourrir. Ces œufs ne m'intéressaient pas. D'autant que de les préparer en œufs durs, en œufs au plat ou en omelette sans rien n'avait effectivement « rien » d'alléchant. Tu connais ma gourmandise ! J'avais beau lire et relire ton carnet, afin de dégotter des idées, il me semblait tabou. Tu en étais l'unique dépositaire. Les recettes et les conseils que tu y avais écrits t'appartenaient. Je n'avais pas à y toucher. Ces œufs ont fini par me consterner. Je les maudissais. Je n'arrivais pas à les jeter. À quelques jours de leur date de péremption, le souvenir d'une phrase de mamie : « On ne gaspille pas la nourriture » a figé mon sang.

Le compte à rebours de leur élimination m'accusait. J'étais coupable. La découverte du moyen de les accommoder au plus vite me sauverait ! Pour mes six œufs, je suis parti me ravitailler. À mon tour, je me suis approprié la phrase de mamie. Tel un credo, je l'ai répétée jusqu'au marché… Et j'ai rempli mon panier. Je me souviendrai toujours de mes premières courses. J'avais une botte de radis et un bouquet de basilic qui embaumait, un steak haché, du blanc de poulet et deux bananes. La marchande de fruits et légumes m'a offert deux citrons et, plié dans une feuille de papier bleu délavé, un mélange de fines herbes. Au nom de mes six œufs, j'étais ému. T'avoir observée des milliers de fois dans ta cuisine m'a aidé. J'avais acquis des réflexes et des savoir-faire. Je suis passé de la théorie à la pratique.

J'ai mis un œuf à durcir dans une casserole et j'ai coupé les radis en rondelles. J'ai rassemblé le tout en un *carpaccio de radis et miettes d'œuf*. Des *fanes de radis* et de deux œufs battus, j'ai tiré une *omelette*. Avec le steak haché, un œuf et une biscotte, j'ai confectionné des *boulettes* et je les ai dégustées avec des *germes de soja*.

De mon *blanc de poulet* poché et de ma *semoule aux câpres*, il m'est resté du bouillon de volaille. Je l'ai transformé en *lait de poule*. Pour accompagner ma poêlée de légumes, j'ai cuit les deux derniers œufs, sur le plat.
J'ai mêlé le demi-bouquet de *basilic* que je n'avais pas utilisé à de *l'huile d'olive et de l'ail* et j'ai parfumé mes *spaghettis*.
J'ai rôti mes *bananes* dans du beurre, du sucre et du citron, avant de les rouler dans de la poudre de *noix de coco*. Ces deux recettes ne comportaient pas d'œufs. Le mal que je m'étais donné pour les sauver de la poubelle m'avait libéré. Je venais de passer de l'obligation au plaisir. J'ai longtemps gardé leur boîte en trophée de ma victoire.
J'ai relu ton carnet, différemment. Je l'ai perçu comme « mon monde à conquérir ». Je devais créer « mon propre univers ». Désormais, ton carnet m'appartient. Je refais tes recettes. J'en ai amélioré certaines. J'ai composé des menus. Je convie mes copains à de bonnes bouffes. Mon radeau a terminé sa course. Je ne suis plus un naufragé. Je suis bien dans la ville où je vis. Je viens de rencontrer Élisa. Ce soir, elle dîne chez moi.

À Élisa

Mon cœur craque comme une allumette.
Ce soir, Élisa, tu dînes chez moi.
Pour ce dîner en tête à tête :
Crackers au roquefort et banane écrasée à la concassée de tomates, huile d'olive et thym effeuillé
Brochettes de grosses crevettes au gingembre et citron vert
Tomates gorgées de caramel au beurre salé et de fruits secs croustillants.

Mon cœur craque comme une allumette.
J'ai écrit le menu à la façon de mon parrain Christian.
Il m'a passé par mail la recette du dessert.
Les crackers sont une adaptation.
Les brochettes et le riz, une invention.

Mon cœur craque comme une allumette.
De ce tête-à-tête, j'allume les bougies
Ma voix balance et me trahit.
Des aigus à mes graves, je souris.

Mon cœur craque comme une allumette.
Ni mes frissons, ni mes sensations ne sont des illusions.

Mon cœur craque comme une allumette.
Ébats avec toi dans ma tête.
Les allumettes ne servent qu'une fois.
Tête contre tête, Élisa, je craque pour toi.

crackers au roquefort et banane écrasée à la concassée de tomates

pour 2 personnes
préparation : 5 mn
cuisson : 2 mn

2 crackers
50 g de roquefort
1/2 banane
2 tomates cerises
quelques feuilles de salade frisées
(ou de jeunes pousses)
1 branche de thym
(ou du thym sec en poudre)
2 noix de beurre
huile d'huile
sel, poivre

Laver les tomates cerises. Les couper en tout petits dés. Réserver.
Dans une casserole, mettre une noix de beurre, le roquefort et du poivre. Faire fondre en remuant. Réserver.
Poêler la banane écrasée dans une noix de beurre. Saler, poivrer.
Tartiner les crackers avec les 3/4 du roquefort fondu. Poser de la banane dessus. Puis répartir le roquefort restant.
Pour décorer, parsemer de dés de tomates et de thym effeuillé (ou saupoudré). Arroser de quelques gouttes d'huile d'olive.
Servir sur des feuilles de salade frisée ou de jeunes pousses.

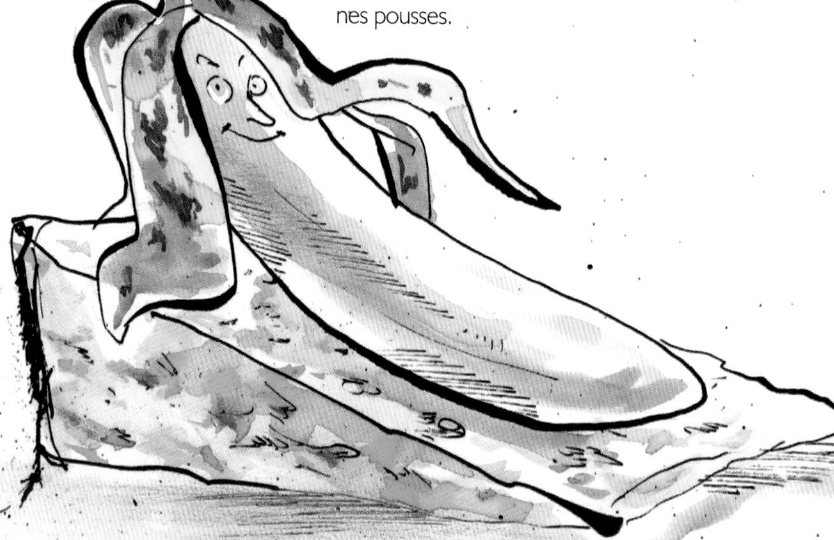

carpaccio de radis et miettes d'œuf

pour 1 personne
préparation : 10 mn
pas de cuisson
1 botte de radis
1/2 bouquet de basilic frais finement ciselé
1 œuf dur
1 quartier de citron
1 cuill. à soupe d'huile d'olive
1 cuill. à café de vinaigre balsamique
sel, poivre

Dans un bol, préparer la vinaigrette en mélangeant le basilic, l'huile d'olive, le vinaigre balsamique, le jus du quartier de citron, du sel et du poivre. Réserver.
Laver les radis après les avoir débarrassés de leurs fanes et de leurs queues. Les couper en fines rondelles presque translucides. Les disposer à plat sur une assiette plate. Les arroser de vinaigrette et parsemer d'œuf dur émietté.

omelette aux fanes de radis

pour 1 personne
préparation : 10 mn
cuisson : 10 mn
les fanes d'une botte de radis, lavées et finement hachées
2 œufs
1 cuill. à café de poudre d'ail
1 cuill. à café de poudre d'oignon
1 cuill. à soupe d'huile (ou 1 noix de beurre)
sel, poivre

Poêler les fanes de radis, à l'huile ou au beurre, jusqu'à ce que leur eau de végétation s'évapore et qu'elles soient fondantes. Saupoudrer d'oignon et d'ail. Saler, poivrer.
Battre les œufs dans un saladier. Les verser sur les fanes. Laisser cuire jusqu'à ce que le fond de l'omelette soit ferme. Les œufs encore baveux, rabattre une moitié d'omelette sur l'autre à l'aide d'une spatule.
Servir sans attendre avec du jambon blanc ou un morceau d'emmental.

riz au thon, chorizo et cacahuètes

pour 4 personnes

préparation : 10 mn

cuisson : 35 mn

300 g de riz

2 boîtes de 190 g de thon au naturel

1 chorizo doux

500 g de tomates pelées en boîte

1 citron non traité

2 gousses d'ail

1 gros oignon

2 poignées de cacahuètes

1 piment de Cayenne

1 cuill. à café de poudre de safran

60 cl d'eau

huile d'olive

sel, poivre

Mettre le thon à égoutter. Laver le citron et le couper en quatre. Peler l'oignon et le couper en lamelles. Peler les gousses d'ail et les hacher. Retirer la peau du chorizo et le trancher en fines rondelles. Réserver le tout.

Dans une poêle très légèrement huilée, faire revenir le chorizo. Le retirer pour mettre les cacahuètes à dorer. Réserver. Procéder de même avec le thon. Faire dorer l'ail et l'oignon. Ajouter les tomates. Laisser réduire 3 mn. Retirer de la poêle.

Verser le riz dans la poêle. Le laisser dorer, puis le couvrir d'eau. Au bout de 2 mn, saler et poivrer, saupoudrer de safran et de piment émietté. Laisser mijoter jusqu'à ce que le riz ait tout absorbé.

Avant la fin de la cuisson (le riz doit être encore un peu dur), incorporer le jus des tomates à l'ail et à l'oignon (réserver les tomates pour la décoration), puis le thon. Remuer. Si nécessaire, rectifier l'assaisonnement et compléter en eau.

Décorer avec le chorizo, les tomates, les cacahuètes, les morceaux de citron. Servir directement dans la poêle.

boulettes de viande et germes de soja

pour 1 personne
préparation : 10 mn
cuisson : 7 mn

150 g de steak haché
100 g de germes de soja
3 brins de coriandre finement ciselés
1 œuf
1 biscotte
1 cuill. à café de Worcestershire sauce®
1 cuill. à café de cumin en poudre
1 cuill. à soupe de sauce de soja
1 cuill. à soupe d'huile de cuisson
poivre

Dans un saladier, réduire la biscotte en panure. Ajouter le steak haché, l'œuf, le cumin, la Worcestershire sauce®. Poivrer. Bien malaxer et former 4 boulettes.
Dans une poêle, faire chauffer l'huile et mettre les boulettes de viande à dorer, 2 mn à feu vif. Baisser le feu (moyen) et verser les germes de soja lavés et égouttés. Poursuivre la cuisson pendant 4 mn pour que les germes de soja soient mi-cuits.
Avant de servir, arroser de sauce de soja et saupoudrer de coriandre.

spaghettis à l'ail et au basilic

pour 1 personne
préparation : 5 mn
cuisson : 10 mn

100 g de spaghettis
1/2 botte de basilic frais
1 à 2 cuill. à café d'ail en poudre
parmesan râpé
1 cuill. à soupe d'huile d'olive
sel, poivre

Cuire les spaghettis *al dente*.
Dans un bol, mélanger l'huile d'olive, l'ail, le basilic, du sel, du poivre.
Égoutter les spaghettis. Les mettre dans une assiette de service et verser dessus la sauce à l'ail et au basilic. Saupoudrer de parmesan.

astuce
De petits cubes de tomates cerises ou de poivrons rouges apportent de la couleur et de nouveaux parfums.

poêlée de légumes

pour 2 personnes
préparation : 10 mn
cuisson : de 3 à 5 mn
par légume

1 courgette
1 carotte
1 pied de brocoli
2 champignons de Paris
1 cuill. à soupe d'un mélange (au choix) de fines herbes fraîches et finement hachées
1 cuill. à soupe d'oignon en poudre
1 cuill. à café de gingembre en poudre
sauce de soja
huile de cuisson
sel, poivre

Laver les légumes. Éplucher les champignons et la carotte. Couper le pied du brocoli. Tailler les champignons en lamelles, la courgette en bâtonnets, la carotte en dés et le brocoli en morceaux.
Dans une poêle ou un wok, faire chauffer un fond d'huile, dorer et cuire séparément tous les légumes en commençant par le brocoli (le plus long à cuire). Tous doivent rester un peu croquants. Ajouter de l'huile si besoin.
Assembler tous les légumes, saupoudrer de gingembre et de 1 cuill. à soupe de sauce de soja. Poivrer. Saler si besoin. Faire mijoter 2 mn à feu doux. Avant de servir, saupoudrer d'un mélange de fines herbes et parfumer de sauce de soja.
À déguster avec des œufs sur le plat.

Maman,
Varier les poêlées de légumes à l'infini, c'est facile. Selon les saisons, mélange :
- fèves, petits pois et haricots verts ;
- champignons et carottes ;
- pommes de terre, carottes et champignons ;
- brocolis, haricots verts, pousses de bambou ;
- germes de soja, pousses de bambou et carottes.

blanc de poulet et semoule aux câpres et aux amandes

pour 1 personne
préparation : 10 mn
cuisson : 15 mn

1 blanc de poulet
100 g de semoule moyenne
(ou de graine de couscous)
1 échalote
1 brin de ciboulette
1 cm d'écorce de citron
1 cm de gingembre frais
1 cuill. à café d'ail en poudre
2 cuill. à café d'amandes effilées
1 cuill. à café de câpres
1 l de bouillon de volaille
huile d'olive
3 grains de poivre écrasés
sel

Hacher l'écorce de citron. Peler l'échalote et la couper en fines rondelles. Réserver le tout.
Dans une casserole, mettre le poivre, l'ail et le bouillon de volaille. Porter à ébullition. Couvrir et laisser infuser hors du feu pendant 5 mn. Puis plonger le blanc de poulet dans le bouillon et le laisser cuire 10 mn environ, à feu doux. Retirer du feu et prélever 1 verre de bouillon. Couvrir le reste pour maintenir le poulet au chaud.
Dans une poêle avec un fond d'huile d'olive, faire dorer le gingembre, l'écorce de citron et l'échalote. Verser la semoule par dessus et la faire griller légèrement. Arroser de 1/2 verre de bouillon. Saler. Remuer, puis la laisser gonfler hors du feu. L'écraser à la fourchette pour séparer les grains. Compléter en bouillon et en cuisson, si besoin. Ajouter les câpres et les amandes. Mélanger à nouveau.
Servir la semoule dans un bol et le poulet dans une assiette creuse, arrosés d'un peu de bouillon et décorés de ciboulette ciselée.

astuce

Avec le bouillon non utilisé, on peut faire un lait de poule pour le soir *(voir recette ci-contre)*.

lait de poule

pour 1 personne
préparation : 5 mn
cuisson : 15 mn

le reste du bouillon
de la recette précédente
1 verre de lait
1 œuf
sel, poivre

Séparer le blanc du jaune d'œuf. Réserver le blanc. Battre le jaune et le lait ensemble.
Dans une casserole, mettre le reste du bouillon et incorporer le mélange jaune d'œuf-lait en mélangeant bien. Saler, poivrer. Chauffer cette préparation à feu doux, en tournant sans arrêt pour bien la lier et la faire épaissir.
Faire glisser le blanc d'œuf le long de la paroi de la casserole. À l'aide d'une fourchette, effectuer des allers-retours rapides pour que le blanc d'œuf fasse des fils.
Servir avec des croûtons de pain grillé.

astuce

Ajouter quelques vermicelles donne un petit cachet à la présentation du lait de poule.

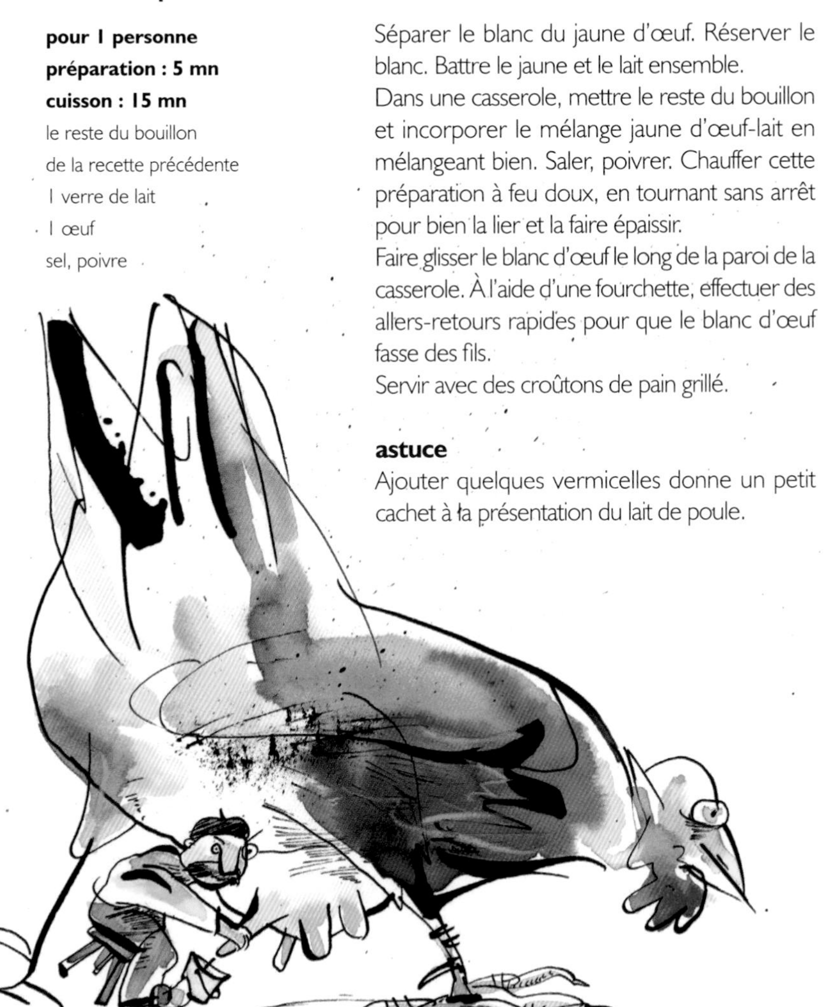

brochettes de grosses crevettes au gingembre et citron vert

Laver le citron vert entier, le couper en cubes et réserver.
Laver le poivron rouge, enlever les graines et le couper en petits dés. Faire sauter dans une poêle avec 1 cuill. à soupe d'huile d'olive (il doit être croquant). Saler, poivrer. Réserver. Cuire le riz comme indiqué sur le paquet.
Décortiquer délicatement les crevettes. Détacher les têtes et les queues. Gratter l'intérieur des têtes et mettre dans un bol mélangé au curcuma, au gingembre, à la ciboulette et au jus de citron vert. Réserver.
Dans une poêle chaude, jeter 1 cuill. à soupe d'huile d'olive. Saisir les queues de crevettes 2 mn à feu vif. Puis mettre à feu doux 2 mn. Arroser les queues de crevettes avec le jus de citron vert aromatisé. Remuer et laisser évaporer quelques secondes.
Dans un bol, mettre le jus de cuisson des crevettes, la sauce de soja et les graines de sésame.
Sur 6 piques en bois, enfiler un morceau de citron vert, une crevette, un morceau de citron vert... Former 4 bâtonnets de riz basmati. Dans une grande assiette, présenter les brochettes arrosées de quelques gouttes de sauce au sésame et les bâtonnets recouverts de dés de poivrons. Servir avec le bol de sauce.

pour 2 personnes
préparation : 15 mn
cuisson : 8 mn

6 grosses crevettes entières crues
1 poivron rouge
1 citron vert entier
le jus de 1 citron vert
6 brins de ciboulette
1 verre de riz basmati
1 cuill. à café de curcuma en poudre
2 cuill. à café de gingembre en poudre
4 cuill. à soupe de sauce de soja
2 cuill. à soupe huile d'olive
graines de sésame
sel, poivre

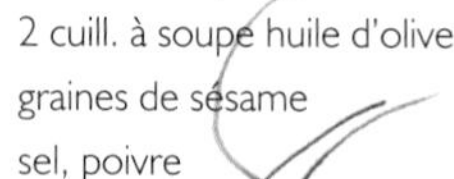

tomates gorgées de caramel au beurre salé et de fruits secs croustillants

pour 2 personnes

préparation : 15 mn

cuisson : 15 mn

2 tomates
30 g de cerneaux de noix
30 g d'amandes effilées
30 g de pistaches
30 g de pignons de pin
20 g de beurre salé
10 cl de crème liquide
100 g de sucre en poudre

Laver et peler les tomates avec un couteau bien aiguisé. Couper et ôter leur chapeau. Vider les tomates. Il ne doit plus rester que la chair. Réserver les tomates évidées et les chapeaux.
Dans une casserole, verser le sucre et faire chauffer à feu doux en remuant. Quand le sucre a pris une couleur caramel foncé, il est prêt. Hors du feu, ajouter le beurre salé et la crème liquide. Bien mélanger.
Faire griller les fruits secs quelques secondes dans une poêle. Les incorporer au caramel au beurre salé.
Farcir les tomates de cette préparation. Avant de servir, remettre les chapeaux.

astuce

Ce dessert de tomates peut s'accompagner d'un coulis d'abricots à l'huile d'olive ou au jus d'orange *(voir les recettes de coulis p. 136).*

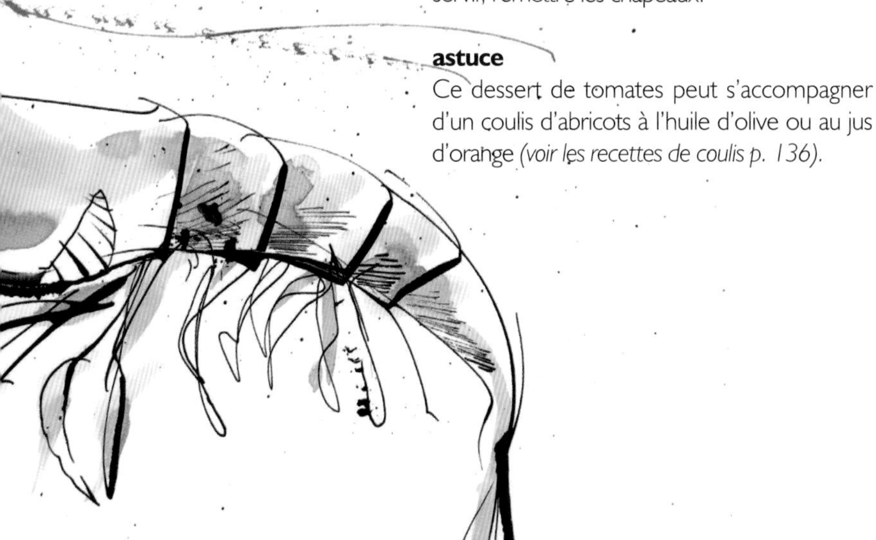

fraises au sirop de vinaigre balsamique

pour 4 personnes
préparation : 10 mn
cuisson : 10 mn
Marinade : 30 mn

500 g de fraises
1 zeste de citron
1 clou de girofle
100 g de sucre en poudre
3 cuill. à soupe de vinaigre balsamique
1 verre d'eau

Rincer et équeuter les fraises. Les couper en deux et les mettre dans un saladier.
Dans une casserole, mélanger le sucre et le clou de girofle à 1 verre d'eau. Porter à ébullition. Retirer du feu. Laisser infuser 5 mn. Ajouter le vinaigre balsamique. Remuer et refroidir le sirop. Le verser sur les fraises. Laisser mariner 30 mn. Décorer avec le zeste de citron. Servir accompagné de glace au citron vert.

bananes coco

pour 2 personnes
préparation : 5 mn
cuisson : 10 mn

2 bananes
le jus de 1/2 citron
1 cuill. à café de gingembre
noix de coco en poudre
1 noix de beurre
1 à 2 cuill. à soupe de sucre en poudre

Dans une poêle, faire fondre le beurre à feu moyen. Ajouter les bananes pelées. Au bout de 5 mn, saupoudrer de sucre et de gingembre. Mettre à feu doux et faire cuire chaque face des bananes en les tournant à l'aide de deux spatules en bois. Arroser du jus de citron à mi-cuisson. Les bananes sont prêtes quand elles sont caramélisées et bien fondantes.
Avant de servir, rouler les bananes (délicatement pour ne pas les casser) dans de la poudre de noix de coco.

glossaire

al dente (cuisson des pâtes) le temps de cuisson, variable selon les pâtes, est suffisamment court pour qu'elles restent fermes sous la dent.

bain-marie eau bouillante dans laquelle on place un récipient rempli d'une préparation à faire fondre ou à réchauffer en douceur.

basilic incontournable plante aromatique de la cuisine italienne, le basilic s'emploie de préférence frais pour parfumer l'huile, les pâtes, les poissons et les viandes. Son homologue thaï a une saveur plus douce.

Cheese nan galette de pain de l'Inde ou du Pakistan que l'on fourre de crème de gruyère.

Citron vert plus amer que le citron jaune, il sert aux marinades ou à la confection de sauces.

Coriandre plante aromatique originaire d'Asie ou d'Afrique du Nord.

Couscous grains de semoule de blé fins, moyens ou gros, que l'on emploie pour composer le couscous, plat traditionnel des pays d'Afrique du Nord à base de viande ou de poissons et de légumes. La graine de couscous sert aussi à la préparation d'entremets sucrés.

Curry doux ou fort, en poudre ou en pâte, mélange de curcuma, de clous de girofle, de cardamome, de cumin, de paprika, de muscade, de cannelle, et de piments pour les plus épicés. Sert à relever les mets.

déglacer détacher les sucs de cuisson caramélisés au fond d'une poêle ou d'une casserole en versant un liquide froid (vin, crème, citron, sauce de soja...). Cette opération sert à l'élaboration de sauces.

feta fromage blanc maintenu en saumure (eau salée), fabriqué à l'origine en Grèce à partir de lait de brebis.

gingembre racine noueuse à la peau très fine. Il faut le peler avant de l'utiliser râpé, en rondelles ou en dés. Le gingembre frais peut être confit ou rôti. Mis au vinaigre, il devient un condiment qui prend le nom de Gari. Le gingembre se vend également en poudre.

harissa vendue en tube ou en pot, cette pâte très forte est à base de piment rouge, d'ail, d'épices et d'huile d'olive.

lemon curd vendue en pot, cette spécialité anglaise est une pâte à tartiner à base de citron, de beurre, d'œuf et de sucre.

marinade liquide aromatisé (avec des épices, du vin, de la sauce soja...) dans lequel on fait macérer viandes, poissons ou légumes pour les attendrir et parfumer leur chair.

mascarpone crème de fromage originaire d'Italie. Sert à confectionner le tiramisu. On l'utilise aussi en sauce sucrée et délayée dans du sirop d'érable, du miel.... Accompagne les fraises ou les pêches.

mijoter faire cuire lentement, à feu doux.

mozzarella ce fromage italien au lait de vache, à pâte molle et filée, se consomme cru ou cuit.

Vendu sous forme de boule ou de pain, il est commercialisé dans un bain de petit-lait ou d'eau salée, emballé dans un sachet étanche. Plus rare et plus chère, la mozzarella de qualité supérieure s'obtient avec du lait de bufflonne ; elle a une saveur particulière et une texture plus savoureuse.

moutarde il en existe de nombreuses variétés, natures ou aromatisées. La plus connue est la moutarde extra-forte, vendue généralement sous la dénomination « moutarde de Dijon ». La moutarde aide à émulsionner les sauces froides (vinaigrette, mayonnaise).

nuoc mam assaisonnement originaire d'Asie, à base de poisson séché et fermenté.

piment très prisé dans la cuisine asiatique, tex-mex, hispanique... Il existe des piments verts et des piments rouges de différentes variétés. Les plus connus sont les « langues d'oiseaux » , les « piments de Cayenne », les « piments d'Espelette »...

pita galette de pain plat d'origine grecque.

pocher plonger dans un liquide bouillant.

poêler cuire en passant à la poêle.

raifort plante cultivée pour sa racine charnue et à saveur fortement poivrée. S'utilise en condiment avec les viandes et les poissons.

réduire consiste à laisser cuire une sauce ou un jus jusqu'à ce que le liquide se soit suffisamment évaporé pour obtenir une préparation épaisse.

ricotta fromage blanc égoutté, originaire d'Italie, qui sert à farcir des légumes, de la viande...

Saisir plonger dans un corps gras brûlant.

Sauce de soja préparée à partir de soja fermenté, elle est très usitée en Asie pour parfumer la cuisine. On l'ajoute dans les marinades. On s'en sert pour déglacer.

Shiitake champignon asiatique brun vendu frais ou séché.

tehina crème de graines de sésame que l'on mélange dans la purée de pois chiche (houmous).

thym plante aromatique de la cuisine provençale. Frais ou sec, il sert à parfumer les viandes, les poissons, les légumes, les pâtes...

tofu pâte de soja.

Vanille originaire d'Amérique centrale, la vanille est le fruit du vanillier. Elle se présente sous la forme d'une gousse brune que l'on emploie entière ou ouverte en deux pour libérer les grains à l'intérieur. Elle permet de parfumer les desserts ou l'eau qui sert à pocher des poissons blancs. À partir de la vanille on fabrique de l'extrait de vanille et du sucre vanillé.

Vinaigre balsamique spécialité de Modène (Italie), obtenue à partir de l'évaporation du moût de raisin passé dans des fûts en bois, plus ou moins longtemps selon la qualité souhaitée.

Wasabi assimilé au raifort, le wasabi est une plante du Japon qui pousse dans les ruisseaux. Ce condiment de couleur verte, très piquant, s'utilise en poudre ou en pâte. Il relève les poisons crus et les salades.

Wok poêle chinoise à fond bombé et à larges rebords évasés pour cuire, saisir, frire rapidement.

index des recettes